A CABEÇA DE

PETER DRUCKER

Jeffrey A. Krames

A CABEÇA DE PETER DRUCKER

SEXTANTE

Título original: *Inside Drucker's Brain*

Publicado mediante acordo com Portfolio, um membro do Penguin Group (USA) Inc.

tradução
Afonso Celso da Cunha Serra

preparo de originais
Cristiane Pacanowski

revisão
Cristhiane Ruiz, Luis Américo Costa e Rebeca Bolite

projeto gráfico e diagramação
Abreu's System

capa
Miriam Lerner

impressão e acabamento
Cromosete Gráfica e Editora Ltda.

CIP-Brasil. Catalogação na fonte.
Sindicato Nacional dos Editores de Livros, RJ.

K91c Krames, Jeffrey A.
A cabeça de Peter Drucker / Jeffrey A. Krames [tradução de Afonso Celso da Cunha Serra]. Rio de Janeiro: Sextante, 2010.

Tradução de: Inside Drucker's brain
ISBN 978-85-7542-621-0

1. Drucker, Peter F. (Peter Ferdinand), 1909-2005. 2. Administração de empresas. I. Título.

10-4954 CDD: 658.4
CDU: 005.366

Rua Voluntários da Pátria, 45/1.404 – Botafogo
22270-000 – Rio de Janeiro – RJ
Tel.: (21) 2538-4100 – Fax: (21) 2286-9244
E-mail: atendimento@esextante.com.br
www.sextante.com.br

A Peter Drucker, por me receber em sua casa e compartilhar comigo sua sabedoria.

Sumário

Introdução
Em busca de Drucker

Início de novembro de 2003. Peter Drucker era a última pessoa que eu imaginava que fosse me procurar naquela manhã de segunda-feira. Afinal, nunca tinha estado com ele pessoalmente e, até hoje, não sei como conseguiu o número do meu telefone. Há mais de 20 anos atuando como editor e escritor, eu sempre conversava com outros autores de renome, mas, agora, quem estava do outro lado da linha era ninguém menos que Peter Drucker, o inventor da administração moderna.

Tentei compreender o que ele dizia, mas tive dificuldade. Ele logo completaria 94 anos, e tanto sua fala – difícil de entender por causa do forte sotaque austríaco – quanto sua audição já não eram mais as mesmas de quando era jovem. Drucker falava alto demais e, embora eu praticamente gritasse ao telefone, ele não me ouvia. Sem dúvida, ele estava aborrecido, e não era difícil concluir que eu era a causa de seu aborrecimento.

Depois de editar vários livros sobre Jack Welch, ex-CEO da General Electric e discípulo de Drucker, havia quatro anos que eu vinha pensando em escrever um livro sobre Drucker. Muitas das melhores ideias de Welch haviam sido inspiradas por seu mentor – assim como as de vários outros gestores e escritores –, e eu achava que era hora de ir direto à fonte.

Embora ele tivesse escrito mais de 30 livros sobre negócios e a sociedade em geral, eu acreditava que a obra definitiva sobre Drucker ainda não existia. Minha intenção não era escrever uma biografia, mas um livro que tivesse dois objetivos fundamentais: primeiro, expor as mais importantes filosofias gerenciais e as mais notáveis estratégias competitivas de Drucker, demonstrando como elas continuam tão úteis hoje quanto eram na época em que foram apresentadas. O segundo objetivo seria revelar quantos best-sellers de negócios publicados nas duas últimas décadas se basearam em suas ideias. Penso que sua contribuição mais valiosa tenha sido a criação de uma nova mentalidade, não apenas de uma nova metodologia. A essência do legado de Drucker é induzir os gestores a fazer as perguntas certas, a ir além do que supõem saber e a superar o passado para vislumbrar o futuro.

Apesar de ter ficado surpreso com o telefonema naquela manhã, Drucker não me ligara por acaso. Eu já tomara a iniciativa de um primeiro contato, não com ele, mas com um de seus editores, pois Drucker era conhecido por defender sua obra e seus direitos autorais com o vigor de um advogado enérgico. Receava que tentar conseguir a aprovação dele para usar *quaisquer* de seus títulos já publicados seria um esforço vão. Para saber qual seria a reação dele, selecionei primeiro trechos de um único livro e enviei o pedido de permissão à editora.

Fiquei surpreso quando o editor me enviou a autorização, condicionada ao pagamento de 200 dólares. *Foi mais fácil do que eu imaginava*, pensei comigo mesmo. Mas não tinha noção da situação em que estava me metendo. Após conceder a permissão, o editor deve ter procurado Drucker para informá-lo do acordo.

Como ele não conseguia me ouvir pelo telefone naquela manhã, perguntei se poderia lhe enviar uma carta para esclarecer a situação. Na primeira das muitas correspondências que troquei com Drucker, lhe expliquei em detalhes o livro que pretendia escrever. Também disse que o denominaria "inventor da administração", título que durante décadas ele recusara, mas que naquele momento não se empenhou em contestar.

Drucker e eu nos correspondemos durante dois meses. Trocamos algumas palavras sobre o livro e o enfoque que eu pretendia adotar. Em meados de novembro, ele me enviou uma carta concedendo autorização para utilizar trechos de qualquer um de seus livros. Pouco depois, me convidou para entrevistá-lo em sua casa, em Claremont, Califórnia.

Marcamos a entrevista para 22 e 23 de dezembro, dois dias que deveriam ser suficientes para discutir amplamente uma variedade de tópicos. Consultei Drucker para saber se ele preferia que eu lhe enviasse com antecedência as perguntas que gostaria de fazer. Ele achou uma boa ideia, então aprimorei uma lista com as questões que considerava pertinentes ao tema que iria abordar. Quando perguntei se elas lhe pareciam satisfatórias, ele respondeu: "Sim e não."

"Elas são boas", escreveu. "Mas são muitas." Drucker, então, pediu que eu não fizesse mais de seis. Fiquei perplexo: como poderíamos passar dois dias discutindo apenas cinco ou seis perguntas? Sem dúvida, eu ainda não compreendera quem ele era e que era capaz de dedicar um dia inteiro a um único tema, fosse gestão, sociedade ou arte japonesa.

Dia D: Segunda-feira, 22 de dezembro de 2003, 5h40. Enquanto me arrumava no hotel do aeroporto, me dei conta de que, ironicamente, sabia pouco sobre Peter Drucker, o homem. Eu conhecia bem a obra dele, sua filosofia de negócios e seus princípios de administração, pois já tinha lido, mais de uma vez, a grande maioria de seus 35 livros. Mesmo sua autobiografia, *Adventures of a Bystander* (As aventuras de um observador), revela pouco sobre quem ele *realmente* foi.

Peguei os dois gravadores que levara comigo, as chaves do carro alugado e os livros e fui buscar o veículo. No caminho, não pude evitar algumas reflexões irônicas sobre como chegara àquele ponto. Para quem trabalha no mercado de livros de negócios, Drucker era uma figura singular: o homem que mais ou menos tinha criado a administração e se tornara seu cronista. No entanto, havia muitos críticos que o consideravam superado, alguém que perdera a perspicácia – e a relevância. E não eram apenas as figuras de sempre, como alguns membros da elite acadêmica, que encaravam Drucker como alguém ultrapassado ou que estaria quase caindo no esquecimento.

Eu achava que as críticas a ele não tinham fundamento. Depois de muito pesquisar, ficava cada vez mais claro para mim que os meios de comunicação e a elite acadêmica estavam equivocados. Os escritos de Drucker serviram de base para um grande número de best-sellers publicados durante o boom dos livros de negócios a partir dos anos 1980.

Tom Peters, autor de *Vencendo a crise*, afirmou: "Antes de Drucker, a verdadeira disciplina da gestão ainda não existia." E também declarou: "Drucker foi o criador da administração moderna. No início da década de 1950, ninguém possuía as ferramentas para gerenciar organizações incrivelmente complexas. Ele foi o primeiro a nos oferecer um manual para essa tarefa." Por incrível que pareça, Tom Peters supostamente também teria afirmado: "Tudo o que está escrito em *Vencendo a crise* pode ser encontrado em alguma página de *A prática da administração de empresas*, clássico de Drucker."

Charles Handy, especialista em gestão e em comportamento organizacional, declarou: "Praticamente tudo em administração remonta a Peter Drucker." Jim Collins, autor de *Empresas feitas para vencer*, também reconheceu as contribuições de Drucker e o considera "o principal fundador da administração".

Líderes de empresas, como Michael Dell, fundador da Dell Computers, Andy Grove, da Intel, e Bill Gates, da Microsoft, também enaltecem o inventor da administração. Ao ser perguntado sobre o que costuma ler, Gates respondeu: "Leio Drucker, evidentemente." No entanto, a maioria dos autores de livros de negócios, muitas vezes sem saber da profunda influência dele sobre suas obras, não foi tão generosa em reconhecer os méritos de Drucker. Mas ele me disse que de modo algum isso o incomodava. Ele inspirou dezenas de autores de livros desse segmento e acredito que este era o legado que pretendia deixar: queria que suas ideias fossem usadas e implementadas ao longo de gerações. Seu intuito era fazer diferença.

Embora seja evidente que ele estava certo desde o começo, a maioria das pessoas ainda não o ouvia. *A prática da administração de empresas*, seu livro revolucionário, recebeu esse título adequado por ter sido o primeiro a mostrar aos gerentes como gerenciar. "Antes disso, não havia nada. Nada fazia sentido", declarou Drucker mais tarde. No entanto, quem levar muito a sério o que tem sido escrito a respeito dele desde 1990 chegará à conclusão de que sua influência não passou de modismo. Hoje, por exemplo, os livros acadêmicos sobre administração contêm pouco mais que uma ou duas notas de rodapé referentes a Drucker. É difícil encontrar suas contribuições para o campo da administração.

Ele, que nunca perdeu a humildade, jamais foi de alardear os próprios méritos. Quando lhe perguntavam qual era sua profissão, respondia simplesmente: "Sou escritor." E, quando esse "escritor" tinha uma nova ideia, preparava um novo livro. Drucker me disse que nunca releu suas obras já publicadas. Seus editores até podem ter relançado alguns dos primeiros livros, mas toda a carreira dele – para não falar em toda a sua perspectiva – se baseava em olhar para a frente, não para trás. Abandonar o passado não era apenas um de seus princípios gerenciais: foi algo que passou a fazer parte de seu DNA.

* * *

A caminho da casa de Drucker, pensei sobre como ele raramente cooperava com outros escritores. Até chegou a dizer: "Um dos segredos para se manter jovem é não dar entrevistas, mas se concentrar no próprio trabalho. É isso que estou fazendo. Desculpe, mas não estou disponível." Ele era implacável com qualquer autor ou editor que tivesse a audácia de usar trechos de seus livros sem seu prévio consentimento por escrito.

O encontro estava marcado para 10 horas daquela manhã de segunda-feira. Depois de quase me perder, cheguei ao endereço indicado, pouco antes do horário combinado. Observei a casa com interesse. Era um imóvel comum, até um tanto modesto, do tipo que se encontra com facilidade em qualquer subúrbio americano. Embora muito aconchegante, com jardins bem cuidados, dava a impressão de já ter vivido tempos melhores, de estar um tanto decadente. Será que Drucker realmente morava lá?

Sim, sem dúvida, aquela era a casa dele. O pensador da administração não tivera tempo nem disposição para se mudar para uma casa mais elegante. Naquele momento, me lembrei da história sobre os ternos de Albert Einstein. Eu já havia lido em algum lugar que todos eram idênticos, pois o gênio não queria perder nem um momento sequer com decisões frívolas sobre vestuário.

Peguei os gravadores, os livros e minha pasta e bati na porta poucos segundos antes das 10. Ninguém apareceu. Depois de vários minutos, resolvi ligar do meu celular. Drucker finalmente atendeu o telefone e disse que já me receberia. Ao me cumprimentar à porta, explicou que seu aparelho auditivo estava desligado.

Ele comemorara seu 94º aniversário no mês anterior e sua aparência não ocultava a idade. Transparecendo fragilidade, usava óculos com lentes mais espessas do que eu imaginara e seu aparelho auditivo não era muito discreto. No entanto, em poucos instantes, percebi a mente perspicaz por trás daquele corpo senil. Ele caminhava com a ajuda de uma bengala e muito mais devagar do que eu previra. Ao apertar minha mão com pouca firmeza, fiquei com a impressão de que sua saúde estava debilitada. Embora tivéssemos trocado tantas cartas nas últimas semanas, eu me sentia um intruso. Porém essas impressões mudariam radicalmente ao longo do dia.

Mostrou-me seu escritório e se acomodou em uma cadeira, indicando que eu me sentasse em outra – que depois contou ter sido usada por Jack Welch semanas antes de se tornar CEO da General Electric, em 1981. Após uma breve conversa, entrou direto no assunto. Embora eu tivesse puxado a folha com as seis perguntas que combináramos de antemão, não nos referimos a elas nem mesmo uma única vez durante todo o dia.

Ele começou contando a história de sua infância na Europa e como passou a atuar na área da administração, "totalmente por acidente", como se tivesse caído de paraquedas. E explicou como nunca gerenciara nada. "Sou o pior administrador do mundo", declarou ironicamente. O fato de nunca ter gerenciado nada ou o divertia ou o irritava. Era difícil dizer qual dos dois sentimentos era o verdadeiro.

Também contou como seu primeiro livro de negócios tornara ainda mais difícil para ele seguir qualquer carreira tradicional. Publicado em 1946, *Concept of the Corporation* (O conceito de corporação) apresentava o primeiro estudo em larga escala de uma grande corporação americana: a General Motors. O livro logo se tornou um best-seller nos Estados Unidos e no Japão e transformou Drucker em um ícone instantâneo. No entanto, publicar um livro que fizesse sucesso rapidamente – o que, naquela época, era considerado algo frívolo – de modo algum conferia impulso à carreira de alguém. Um amigo do escritor fez o seguinte comentário: "Peter, esse livro não é nem sobre o governo nem sobre economia. Aonde você quer chegar?" "Ele estava absolutamente certo", concordou Drucker.

Evidentemente, Peter Drucker seguiria seu próprio caminho. Nem Harvard nem Stanford jamais seriam incluídas em seu currículo, mas ele não se arrepende: "Renunciei à Harvard Business School", explicou. "Ficou muito claro que eu não pertencia àquele ambiente. Além disso, queria escrever meus livros e prestar consultoria, porém, naquela época, a Harvard Business School não permitia que os professores atuassem também como consultores. Os professores deviam escrever casos, mas nunca levei o mínimo jeito para isso."

Nunca me esquecerei daquela manhã com Drucker. Conversamos sem parar até o meio-dia, quando ele fez uma pausa e sugeriu que almoçássemos em seu bistrô italiano preferido na cidade. Num breve passeio comigo para me mostrar a cidade, passamos pela Peter F. Drucker Graduate School of Management, da Claremont University.

No almoço, ele falou a respeito de sua família numerosa, dos filhos muito inteligentes, que, imaginei, já deveriam ter passado da meia-idade, e sobre como eles pouco se interessavam por suas atividades. Para mim, era difícil aceitar essa indiferença: o pai era o inventor da administração, mas eles estavam muito ocupados com as próprias carreiras para se dar conta dessa realidade. No entanto, para Drucker, que nunca renegou sua origem europeia, parecia muito natural que os filhos se tornassem médicos e profissionais de outras áreas, seguindo os próprios caminhos. Ele disse ainda que ficaria muito surpreso se demonstrassem alguma coisa além de interesse passageiro por seu trabalho.

Após uma longa conversa sobre a biografia dele naquela manhã, de volta à sua casa nos aprofundamos em outros tópicos fascinantes que tampouco estavam previstos. Conversamos sobre o mercado editorial e, então, entrou em cena o professor Drucker, que amava falar sobre a história da palavra escrita. Ele contou que, por volta de 1600, foi publicado *Don Quixote*, o primeiro romance a ser impresso, graças aos tipos móveis. Explicou também que as grandes inovações em impressão em cores ocorreram em Paris em fins do século XVI. Alguém aliara a técnica da litografia à nova tecnologia de impressão, e assim surgiu o primeiro livro ilustrado. Porém, acrescentou em seguida, os conteúdos não mudaram ao longo de 200 anos. A aparência e o design evoluíram, mas o conteúdo não se alterou até fins do século XVII.

Por volta das 16 horas, fomos interrompidos pela única vez no dia. Era Doris, a mulher dele – uma escritora e empreendedora bem-sucedida, com quem estava casado havia 70 anos –, pedindo que eu encerrasse a entrevista. Sem dúvida, à medida que as horas foram passando, ela o escutara tossir com mais frequência e achou que todo aquele esforço estava fazendo mal a ele. Embora a todo momento eu perguntasse como ele estava e Drucker insistisse que estava bem, me senti culpado e torci para que não tivesse prejudicado a saúde dele.

No pouco tempo que tive para arrumar minhas coisas antes de sair, entreouvi a conversa entre Doris e Drucker e me dei conta de que o projeto que eu acalentava havia tanto tempo talvez estivesse a ponto de ser interrompido. Doris disse que, depois daquele dia cheio, Drucker precisaria descansar e cancelou o segundo dia de entrevista que havíamos planejado.

Foi muito desagradável, para dizer o mínimo. Ao dirigir até o hotel do aeroporto, repassei mentalmente a entrevista. Eu tinha receio de não me lembrar das respostas às perguntas mais importantes, já que ele não me deixara gravar toda a conversa. No entanto, logo constataria que meus receios eram infundados.

Na verdade, as lembranças daquele dia foram muito mais duradouras do que eu poderia imaginar. Apesar da idade avançada, Drucker se mostrara em excelente forma e me concedera uma entrevista incrível. Embora, no dia, eu ainda não tivesse chegado a essa conclusão, aquele encontro me influenciaria profundamente nos anos seguintes.

Demorei alguns meses para transcrever a gravação daquela entrevista de pouco mais de seis horas, e as lições que extraí dela tampouco vieram à tona de imediato. Precisei de alguns meses, diria mesmo de anos, para compreendê-las completamente. Naquele dia, aprendi mais sobre Drucker – e a respeito da verdadeira essência da administração – que ao longo de muitos anos de leitura dos livros dele e de outros autores influentes.

Seus ensinamentos abrangiam áreas como educação, sociedade, política e medicina. Ele era uma versão aprimorada do homem renascentista e, ao morrer, levou consigo um acervo impressionante de conhecimentos.

Drucker levou uma vida baseada em abraçar o futuro e em descartar o passado. Ao longo do percurso, descobriu um paradoxo importante: para construir, é preciso demolir. Ele não tinha muita dificuldade em demolir, em abandonar o que não dera certo, em deixar para trás o que já não era importante. E foi assim que conquistou tantas realizações.

Quando escrevi *A cabeça de Peter Drucker*, meu objetivo era oferecer aos leitores uma nova perspectiva sobre a maneira de raciocinar desse pensador extraordinário. Ao mesmo tempo, ao utilizar muitos exemplos contemporâneos, espero revitalizar parte do incrível conjunto de conhecimentos de Drucker e demonstrar como muitas de suas ideias inspiradoras ainda são tão relevantes hoje quanto na época em que foram concebidas.

Os capítulos a seguir contêm a essência do que ele me transmitiu naquele dia. Também expõem muitos dos conceitos e das estratégias pioneiras sobre administração e liderança. Ele reuniu um acervo sem precedentes, composto de muitas centenas de milhares de páginas. As que se seguem oferecerão aos leitores a chave para o mundo de Peter Drucker, uma terra em que o amanhã é sempre muito mais importante que o ontem.

Capítulo 1
As oportunidades favorecem as mentes alertas

"Peter, você destruiu sua carreira acadêmica para sempre."

Frase dita por um amigo de Drucker logo depois de ele ter lançado *Concept of the Corporation*, seu primeiro livro de negócios.

Ao me reunir com Peter Drucker naquela manhã, percebi que o interior da casa dele era bastante refinado, decorado com objetos de arte japonesa e móveis de cores neutras dispostos de maneira harmônica. Mas não havia uma sala de troféus, nem mesmo uma prateleira em que taças e medalhas estivessem expostas.

Sua carreira de escritor começara quase 65 anos antes, com a publicação em 1939 de *The End of Economic Man* (O fim do homem econômico), livro antifascista que atraiu a atenção e mereceu elogios de Winston Churchill. Desde então, ele foi aclamado por presidentes americanos, como Richard Nixon, e conquistou a Medalha Presidencial da Liberdade, dada por George W. Bush em 2002. No entanto, nada se via em sua casa que destacasse qualquer uma dessas realizações.

Ao observar o ambiente, me lembrei de manter a concentração no trabalho que me levara até lá. Não bastava que os gravadores estivessem ligados. Eu precisava prestar muita atenção a tudo o que ele dizia para envolvê-lo cada vez mais na conversa, mencionando minhas dúvidas e fazendo observações pertinentes, oportunas e instigantes.

Drucker, entretanto, nunca permitiu que eu fizesse a primeira pergunta da minha lista. Ele começou falando sobre sua entrada inesperada no mundo dos negócios. Em detalhes, explicou como caíra na área da gestão por acaso. De início, achei que ele estava brincando comigo – uma carreira como aquela não acontece por acidente. Porém, ao longo da entrevista, percebi que aquilo não era falsa modéstia. Drucker realmente estava sendo sincero ao dizer que o acaso o levara para aquela área.

Ele me disse que não sabia nada sobre gestão, do ponto de vista de quem a vivencia na prática, pois nunca atuara como gestor, o que não significava que não se interessasse por negócios. Antes de ir para os Estados Unidos, ele havia desempenhado várias funções no mundo dos negócios. "Fui trainee na sede europeia de uma importante empresa de Wall Street, há muito desaparecida. Era uma daquelas grandes empresas americanas germano-judaicas do século XIX. Trabalhei como trainee no primeiro departamento de investimentos que existiu na Europa, uma típica invenção americana", ressaltou Drucker.

A época, entretanto, não poderia ter sido pior. De uma hora para outra, o mercado de ações desabou, acabando praticamente com qualquer expectativa que ele tivesse de fazer carreira em bancos de investimentos. "Fui o último a entrar e o primeiro a sair quando o mercado entrou em colapso", disse Drucker de bom humor.

Quis a sorte que, pouco depois de ser demitido, Drucker recebesse o convite de um colega para uma visita a um jornal local. Lá, o dono do periódico disse ao jovem desempregado que estava procurando um redator para escrever sobre negócios e assuntos internacionais. "Uma hora depois, fui contratado sem ter qualquer experiência na área", revelou Drucker. "Trabalhei em

Hamburgo durante um ano e meio, período no qual não aprendi quase nada. Tudo o que fiz foi endereçar correspondência!"

Mas, poucos anos depois, Drucker ganhou novas atribuições ao deixar Hamburgo para atuar como repórter em Frankfurt. "Como repórter de um grupo de jornais ingleses, tive a chance de conhecer algumas empresas americanas", relatou ele. Um desses jornais foi o precursor do renomado periódico britânico *The Financial Times*. Na mesma época, enquanto trabalhava no jornal, ele também concluiu seu doutorado em Direito Público e Internacional.

Em seguida, trabalhou como economista para um banco internacional, em Londres. "Minha experiência em negócios se resume a isso. Passei quase três anos em Londres, como economista responsável pela gestão de ativos de um pequeno banco de investimentos em rápido crescimento, mas não tenho nenhuma outra experiência no ramo empresarial."

Depois de um breve silêncio, lembrei a Drucker que ele tinha mais experiência em negócios do que descrevera. "Você é consultor em gestão", acrescentei, e ele retrucou: "Os consultores não estão sujeitos a riscos. O único risco que correm é o de o cliente não querer mais seus serviços. Os clientes pagam pelos erros dos consultores", afirmou, em tom categórico, como se quisesse encerrar aquele assunto de uma vez por todas.

A pausa que mudou a vida de Drucker

Em 1937, Drucker foi para os Estados Unidos e começou sua carreira como professor de política e filosofia no Bennington College, uma faculdade de artes liberais em Vermont. Mas, se pudesse escolher, não teria lecionado nenhuma dessas duas disciplinas. Ele confessou que teria preferido ministrar o curso de redação para calouros. Disse que, desde os 12 anos, tinha consciência de sua capacidade de escrever, sobretudo em inglês, pois "havia sido educado em um ambiente bilíngue. Em casa, a família falava alemão e inglês; na verdade, até mais inglês que alemão".

Foi enquanto lecionava no Bennington College que ocorreu a pausa que alteraria para sempre o rumo de sua vida. Tudo começou com um telefonema que recebeu em 1943. Sessenta anos depois, Peter Drucker contou essa história com cores vívidas, descrevendo cada minúcia como se tudo tivesse acontecido seis semanas antes, em vez de seis décadas atrás.

O telefonema que levou à criação de uma disciplina

"Até hoje, não sei como a General Motors ouviu falar de mim, nem quem foi o responsável por me permitir estudar a empresa. Desde 1941, eu morava em Vermont, mas a faculdade fechava no inverno. Então aluguei um apartamento perto de Columbia e, para passar o tempo, tentei descobrir na biblioteca da cidade livros sobre como as empresas eram gerenciadas. Porém não encontrei nada sobre o tema", disse Drucker.

"Tentei pesquisar o funcionamento de grandes empresas, mas nenhuma permitiu que eu estudasse sua estrutura e seus processos internos. Certo dia, recebi um telefonema de Paul Garrett, na época vice-presidente da General Motors e responsável pela área de relações públicas. Pediram que ele me perguntasse se eu estaria interessado em fazer um estudo sobre a alta administração da companhia. Nunca descobri quem na GM queria que eu realizasse esse tipo de trabalho. Todos a quem perguntei negaram terem tomado a iniciativa", contou Drucker.

E ele prosseguiu, revelando em detalhes como o acaso mudou sua vida: "Antes de aceitar a proposta, perguntei se eu poderia conhecer a empresa. Em seguida, conversei com Donaldson

Brown, o então vice-presidente do conselho de administração, que, provavelmente, fora o homem que teve a ideia de me procurar. Disse a ele que não ia conseguir fazer o estudo, pois eu ia ser considerado espião da diretoria e ninguém ia querer colaborar. Acrescentei que só haveria uma maneira de realizar aquele trabalho e disse a ele: 'Nos Estados Unidos, se disser que está pesquisando para escrever um livro, você consegue qualquer informação.' Mas Brown não gostou da ideia e não permitiu."

Drucker contou que, depois de seis semanas, Paul Garrett telefonou outra vez e disse que eles tinham pensando sobre aquela possibilidade e queriam que ele fosse a Detroit para discutir a questão. Brown concordou com a ideia do livro. "Eu disse a ele que a GM não poderia censurá-lo, a não ser com relação a informações confidenciais. Então passei os 18 meses seguintes estudando a GM. Acho que visitei todas as divisões da empresa no oeste do país. Escrevi o relatório e a companhia insistiu em que eu o publicasse. Mas ninguém acreditava que o livro teria mercado", contou Drucker.

"Meu editor só publicou *Concept of the Corporation* porque já tinha lançado dois outros livros meus que haviam sido bem-sucedidos. E foi um tremendo sucesso. Então foi assim que entrei na administração. Mas, realmente, não sei nada sobre esse assunto do ponto de vista de quem o vivencia na prática."

Foi o lançamento desse livro, em 1946, que ofereceu ao público a primeira oportunidade de conhecer, em detalhes, o funcionamento interno da GM, ou de qualquer grande empresa, incluindo seus erros e suas questões desagradáveis. Esse livro, que foi um verdadeiro divisor de águas, defendia a descentralização – processo de delegar decisões aos profissionais que efetivamente executam o trabalho – e exerceria ainda mais influência nas décadas seguintes.

A descentralização foi um dos principais temas daquele livro e de outras obras escritas por Drucker. Ele acreditava que uma empresa de grande porte em que poucos altos executivos distribuíssem ordens para toda a organização, por mais dispersas que fossem suas operações, era a receita certa para o fracasso.

Na década de 1980, Drucker já havia inspirado mais de três quartos das empresas no ranking da revista *Fortune* a descentralizar suas operações. Também desenvolvera argumentos convincentes a favor da humanização das relações de trabalho. Até então, os funcionários não eram vistos como seres humanos individuais, ou seja, eram desumanizados e tratados como peças de uma engrenagem ou, na melhor das hipóteses, como "ajudantes". Eram vistos como custos, não como recursos.

Drucker também sustentava que os trabalhadores deveriam ser capacitados para tomar decisões, defendendo a "criação de unidades autogerenciadas". Também descreveu, em detalhes, as relações entre os indivíduos e as organizações, assunto que viria a se tornar o tema principal de tantos livros de negócios no futuro. Entretanto, poucos dos atuais autores desse segmento leram *Concept of the Corporation*.

A publicação dessa obra lançaria Drucker em uma trajetória da qual jamais se desviaria até o fim da vida – uma trajetória nada convencional, pois, à medida que lançava novos livros, Drucker se viu desbravando territórios inexplorados e inóspitos.

"*Concept of the Corporation* firmou a gestão de negócios como tema de estudo", observou ele. Mas, como afirmara o diretor do Bennington College, seu amigo, o fato de ter lançado esse livro quase o destruiu. Para progredir no mundo acadêmico, fazem-se pesquisas, publicam-se trabalhos e conquista-se estabilidade no corpo docente. Na época, um crítico mais rigoroso recomendou que "o jovem acadêmico promissor dedicasse seus talentos consideráveis a questões mais respeitáveis".

Quanto mais prestigiada a instituição, maior a probabilidade de que seu corpo docente torcesse o nariz para os best-sellers de Drucker. Todas as obras dele eram consideradas frívolas em comparação com os temas abordados por acadêmicos sérios, como condição para ter sucesso na carreira universitária, viés que perdura até hoje em instituições de primeiro nível. Ele lamentava esse preconceito, mas continuava abrindo trilhas, quaisquer que fossem as consequências.

É uma ironia que seu sucesso como autor não tenha contribuído para o desenvolvimento de sua carreira acadêmica. Mas Drucker nunca se preocupou em seguir as convenções. Ao contrário: desde o começo, ele apresentou certa propensão para abandonar o conhecido e explorar o desconhecido. Além de não se importar com a opinião dos outros, ele também demonstrava grande coragem.

Com apenas 20 e poucos anos, logo depois de Hitler subir ao poder como chanceler da Alemanha, Drucker escreveu dois folhetos, que acabaram censurados e queimados pelos nazistas. Embora não fosse judeu, sua família tinha ascendência judaica. Drucker, porém, não escreveu os folhetos por isso, mas porque era importante para ele não se omitir. Ele queria ter a consciência tranquila por ter assumido posição contrária à tirania, ao ódio e ao fascismo.

Demitido por Eisenhower

Em 1950, Drucker se desligou do Bennington College e deveria assumir um cargo de professor na Universidade Columbia. Mas o destino provocou outra reviravolta em sua vida. "Eu começara a lecionar de novo, mais uma vez, por puro acidente, na Graduate Business School da Universidade de Nova York, em 1950. Um ano antes, eu recusara um convite da Harvard Business School", contou ele.

Drucker não estava disposto a abrir mão de sua próspera carreira de consultor, o que teria sido necessário, caso aceitasse lecionar em Harvard. Além do mais, ele detestava escrever casos, e a Harvard Business School era conhecida por exigir que seus professores escrevessem estudos de caso e os utilizassem durante as aulas.

E, assim, Harvard foi descartada. Em seu lugar, Drucker assinou contrato com a Universidade Columbia, na cidade de Nova York, mas Dwight D. Eisenhower – então reitor da universidade, antes de se tornar presidente dos Estados Unidos – era um cortador de custos. Por essa razão, o cargo de Drucker foi eliminado antes mesmo de ele pôr os pés numa sala de aula.

Minutos depois de receber a má notícia sobre o cancelamento de seu cargo em Columbia, a caminho de uma estação de metrô de Nova York, ele encontrou um conhecido. Esse acontecimento acidental, assim como muitos outros eventos aleatórios na vida de Drucker, foi um bom presságio. E assim ele se recordou do acontecido: "Meu amigo me perguntou o que eu estava fazendo. Respondi que tinha acabado de saber que perdera o emprego em Columbia e lhe perguntei o que ele estava fazendo. Ele respondeu: 'Estou procurando professores da Columbia Business School para lecionar na Escola de Negócios da Universidade de Nova York.' Antes de chegarmos ao metrô, eu já havia sido convidado para trabalhar lá."

Evidentemente, ninguém atinge o nível de sucesso de Drucker por acaso. Quando lhe perguntei se ele de fato chegara àquele ponto por pura sorte ou por mera casualidade, sua voz e sua postura logo adquiriram ar mais sério: "As oportunidades favorecem as mentes alertas. Se alguma oportunidade bater à sua porta, é preciso abri-la. Você tem que estar receptivo. E eu estava."

As oportunidades favorecem as mentes alertas

A cada passo de sua carreira, Drucker deparou com territórios inexplorados. Ele jamais deu as costas a uma oportunidade favorável, se sentisse tratar-se de algo promissor. Ao contrário: cultivou a flexibilidade para tirar proveito das chances que surgiam em sua vida. E, assim, agia com a firme disposição de abandonar o aprovado e comprovado em favor do incerto e desconhecido. Drucker acreditava que o caminho menos explorado é o percurso mais rápido para chegar a algum lugar, mas é necessário estar disposto a fazer escolhas arriscadas.

Capítulo 2

Execução, primeiro e sempre

"Os objetivos são fundamentais em todas as áreas em que o desempenho e os resultados influenciam de maneira direta e vital a sobrevivência e a prosperidade do negócio."

Desde o início, Drucker compreendeu que gestão eficaz tem tudo a ver com organização, participação, desenvolvimento, preparação, desempenho e execução. Os livros que publicou contêm dezenas de palavras e frases que sugerem que a *ação* é o principal determinante do sucesso gerencial. Não qualquer ação, mas a ação responsável que contribui para a consecução dos objetivos da organização.

Uma das principais premissas de Drucker era a de que, primeiro e acima de tudo, administração é prática. E, para serem bem-sucedidos, os gestores igualmente precisam compreender que o desempenho é a medida definitiva do sucesso. Durante o dia que passamos juntos, ele me explicou o que distinguia o gestor bom do razoável e o razoável do incompetente. Segundo ele, o gestor eficaz: é capaz de contratar, demitir, organizar e promover; responsabiliza-se pelos resultados e presta contas deles integralmente; sabe delegar tarefas; toma decisões esclarecidas, depois de considerar todo o horizonte temporal; realmente reflete sobre todos os aspectos e compartilha as ideias; é a pessoa certa para o plano de negócios; pergunta o que precisa ser feito e define prioridades; conclui as reuniões com atribuições claras, ao passo que aquelas lideradas por gestores incompetentes terminam normalmente sem definições.

Esses princípios falam muito sobre as ideias de Peter Drucker a respeito da prática da administração. Os gestores competentes contratam e promovem profissionais e também delegam tarefas. São bons comunicadores, tomam decisões eficazes que ajudam a organização, não só no curto prazo, mas também considerando horizontes temporais mais distantes. Definem prioridades e certificam-se de que elas sejam cumpridas. Uma vez alcançado o objetivo, eles estabelecem novas prioridades.

Drucker me disse, por exemplo, que "Welch era a pessoa certa para o plano de negócios" da GE, por ser o tipo de líder que descartava tudo o que não funcionava, tal como excesso de níveis gerenciais, burocracia, negócios de baixo crescimento e líderes autocráticos, e, por outro lado, adotava alternativas eficazes, como organização enxuta, negócios de alto crescimento e de alta margem de lucro, líderes inspiradores e suporte para o aprendizado.

Drucker também enfatizava a importância de afastar indivíduos incapazes de realizar o trabalho de maneira consistente, sobretudo no nível gerencial. Ele argumentava que é um grande erro manter os maus profissionais nas funções, deixando-os disseminar a própria incompetência. Não é justo para a organização nem para os colaboradores que cumprem ou superam os padrões: "Cabe ao executivo desligar, sem piedade, qualquer pessoa, sobretudo gestores, que persistentemente não consegue realizar seu trabalho e alcançar ótimos resultados."

Execução requer descarte

Boa parte dos conhecimentos de Drucker se concentra em tornar mais produtivos os gestores e os "trabalhadores do conhecimento", expressão que cunhou na década de 1960 para designar as pessoas que tinham formação universitária. "Esses profissionais não são mão de obra", declarou ele. "Eles adquirem o conhecimento nas escolas e nas universidades, ao contrário daqueles que aprendem ao desempenhar as tarefas no dia a dia do trabalho."

O teste definitivo dos gestores, e o único que de fato importa, é o que avalia as realizações. Na visão de Drucker, execução não é apenas realizar – é realizar as coisas certas.

Os líderes mais eficazes sabem que execução e descarte são dois lados da mesma moeda. As organizações que regularmente superam as concorrentes são as que sabem descartar estratégias, produtos e processos ultrapassados. Apenas mediante esse processo as organizações são capazes de se renovar.

O descarte planejado é pré-requisito para a execução consistente. "Encarar o descarte como oportunidade pode parecer uma surpresa", argumentou Drucker. No entanto, "o descarte consciente e intencional do que é obsoleto e improdutivo é condição prévia para a busca do que é inovador e promissor. O descarte é, acima de tudo, a chave para a inovação, tanto por liberar recursos necessários quanto por estimular o desenvolvimento do novo que substituirá o tradicional".

Os executivos que não conseguem descartar os negócios lucrativos do passado, apesar dos sinais crescentes de fracasso iminente, serão responsabilizados pela má execução do futuro. Exemplo disso é a Sony Corporation. Na década de 1970, ela alcançou sucesso rapidamente ao lançar o walkman, transformando-se em líder de mercado durante duas décadas. No entanto, muito depois de o iPod se tornar um enorme sucesso, os executivos da

Sony ainda não tinham se dado conta da magnitude da ameaça. Mesmo quando a Apple já havia vendido 60 milhões de iPods e nada menos que 1,5 bilhão de músicas pela sua loja iTunes, a divisão de walkman da Sony continuava oferecendo aqueles aparelhos ultrapassados. Em consequência, a Apple acumulou 70% de todas as vendas de músicas on-line, ao passo que a Sony vendia apenas 10% dos tocadores de música – lição dolorosa para o gigante japonês de produtos eletrônicos que um dia dominou o mercado.

A empresa não conseguiu se desvencilhar de uma crença fundamental: a de que o hardware é a força motriz que impulsiona grandes produtos eletrônicos de consumo. A Apple demonstrou que essa velha premissa já não era verdadeira ao oferecer um modelo de navegação fácil no seu iPod, que ajudou a transformar um bom produto em sucesso colossal.

Barreiras à execução eficaz

Os gestores que são bons executores cultivam o hábito de fazer as coisas certas, ao mesmo tempo que protegem a empresa das forças que ameaçam seu futuro. Os seguintes fatores específicos podem interferir na capacidade dos gestores de executar com eficácia e consistência:

- **Não exercício do descarte consciente.**
  Os gestores devem avaliar com regularidade os produtos e as pessoas a fim de se certificar de que ainda estão desempenhando suas funções originais.
- **Excesso de burocracia e de camadas gerenciais.**
  Poucas coisas podem obstruir mais a organização do que a opressão decorrente de camadas gerenciais em demasia.

Quando as decisões empacam, talvez seja por causa do emaranhado da burocracia ou do peso da hierarquia.

- **Ausência de valores nítidos e de sistemas operacionais eficazes para compartilhar o aprendizado e as ideias.**
  As empresas mais eficazes definem valores que constituem sua cultura organizacional e os infundem em toda a organização por meio de reuniões, avaliações e treinamentos.
- **Estrutura gerencial inadequada.**
  "A estrutura certa não garante resultados", escreveu Drucker. "Mas a estrutura errada impede que eles sejam alcançados. Acima de tudo, ela deve ser tal que enfatize resultados verdadeiramente significativos."
- **Ausência de estratégia clara ou falta de comunicação da estratégia.**
  Se não houver uma estratégia clara, compartilhada por todos na empresa, ninguém compreenderá como suas realizações contribuem para a organização como um todo.
- **Cultura organizacional que se concentra em coisas erradas e recompensa comportamentos impróprios.**
  A empresa que não estimula as pessoas a focar os clientes, o mercado e os resultados "certos" acabará fracassando.

Sobre o conceito de execução

Em 2002, o ex-vice-presidente do conselho de administração da General Electric, Larry Bossidy, amigo de Jack Welch, se juntou ao consultor e autor de livros de negócios Ram Charan para escrever *Execução – A disciplina para atingir resultados*. A época de lançamento do livro não poderia ter sido mais oportuna. Seguindo o rastro de grandes sucessos como *Reengenharia – Revolucionando a empresa*, de Michael Hammer e James Champy, a obra se tornou um fenômeno, encabeçando as listas de best--sellers durante meses.

"Execução é um conjunto específico de comportamentos e técnicas que as empresas precisam dominar para conquistar vantagem competitiva. É uma disciplina em si. Hoje, em grandes e pequenas empresas, é fator determinante para o sucesso", afirmaram os autores.

Ao ler o livro de Bossidy e Charan, percebi que boa parte de seu conteúdo, embora em roupagem diferente, me parecia estranhamente familiar. Execução é o epicentro da maioria dos conceitos de Drucker: o que fazer, o que alcançar, como contribuir, avaliar e desempenhar com excelência. Ele apenas não usou o termo execução. Como disse certa vez, seu trabalho era lidar com "abstrações" e, embora tenha cunhado vários termos e expressões novos, ele se empenhava mais na criação de novos conceitos que em designá-los com nomes chamativos.

Estou convencido de que essa é uma das razões para Drucker não ser citado com mais frequência nos atuais livros acadêmicos sobre administração. Frederick Taylor cunhou a expressão "administração científica", Henri Fayol desenvolveu seus 14 princípios da administração e George Elton Mayo lançou seu movimento das relações humanas. Todos esses teóricos se encaixam muito bem nos programas curriculares da maioria dos professores de gestão.

O próprio Drucker já admitira no começo da carreira: "Nunca fui considerado muito respeitável aos olhos da academia." John Micklethwait e Adrian Wooldridge, da revista *The Economist*, sugeriram que os acadêmicos mais recentes ganharam importância por se dedicarem apenas a alguns dos assuntos abordados nos livros de negócios. O nome de Michael Porter, por exemplo, se tornou sinônimo de estratégia, enquanto o de Theodore Levitt foi associado mais a marketing. Drucker, ao contrário, cobriu todo o panorama gerencial, mas não se deteve em nenhum nicho específico.

Quando Tom Peters escreveu *Vencendo a crise* com Robert Waterman Jr., as descobertas a respeito de suas empresas excelentes serviram de tema para muitos outros best-sellers. Porém, com a possível exceção de um dos conceitos mais bem conhecidos de Drucker, a administração por objetivos – ferramenta gerencial segundo a qual os gerentes definem objetivos para os subordinados –, ele poucas vezes mereceu muita atenção de autores de livros acadêmicos.

A administração por objetivos foi lançada por Drucker em *A prática da administração de empresas* e se tornou um dos conceitos mais comuns da área. Seu propósito é aumentar a produtividade da organização mediante a definição de objetivos claros para os indivíduos, que, em conjunto, alcançam os objetivos estratégicos da empresa. Importantes líderes empresariais, como Andy Grove, da Intel Corp., eram adeptos fiéis da administração por objetivos, que, há quem afirme, "dominou o pensamento estratégico nas décadas do pós-guerra". Entretanto, isso não foi suficiente para convencer autores ou professores de escolas de negócios quanto à importância de Drucker. A administração por objetivos perdeu a relevância no início da década de 1980, por ser considerada mais "de cima para baixo" do que "de baixo para cima", o que era típico em empresas nas quais prevalecia a mentalidade hierárquica de comando e controle.

De acordo com Tom Peters e James O'Toole, especialista em gestão, apesar de Drucker ter escrito uma grande variedade de livros, é raro descobrir algum que seja adotado em programas de MBA. Peters disse que nenhum livro de Drucker constava da bibliografia de dois cursos avançados em gestão de negócios, entre os quais um MBA em Stanford. O'Toole deu um passo adiante, ao afirmar: "Peter jamais conseguiria estabilidade em nenhuma grande escola de negócios americana."

No entanto, nada disso diminui o valor e a importância de suas contribuições: talvez ele não tenha cunhado novos termos para suas ideias, mas, sem dúvida, foi o primeiro a concebê-las e a descrevê-las.

Para ilustrar esse tópico, veja os dois trechos a seguir, que foram extraídos de dois livros, com um intervalo de 50 anos entre a publicação de um e de outro. Analise com cuidado não apenas as palavras, mas também o significado por trás delas. Será que existe realmente diferença entre os conceitos expressos pelas palavras de Bossidy e Charan, em *Execução*, e de Drucker, em *A prática da administração de empresas*? Ou será que se trata apenas de uma questão de semântica? Será que não estaríamos diante de mais um caso em que Drucker foi pioneiro em desenvolver tais conceitos, até que outros autores, muitos anos depois, alcançassem o mesmo ponto, por percursos muito diferentes? Observe que estes trechos não refletem pensamentos contínuos, pois foram retirados de diferentes partes de cada um dos dois livros:

Execução, segundo Bossidy e Charan, em 2002

"Execução não é apenas tática: é disciplina e sistema. Deve ser parte integrante da estratégia da empresa, de seus objetivos, de sua cultura. O líder da organização deve se envolver profundamente com ela e não pode delegar sua substância. Vários líderes perdem muito tempo aprendendo e divulgando as mais recentes técnicas gerenciais. Quando vemos empresas que não executam, as chances são de que não avaliem, não recompensem e não promovam os profissionais que sabem alcançar as metas."

E conforme Drucker, em *A prática da administração de empresas*, em 1954

"Em todas as decisões e ações, a administração deve sempre considerar o desempenho econômico em primeiro lugar. Ela só pode justificar sua existência e sua autoridade pelos resultados econômicos que produz. E, no entanto, o teste definitivo da administração é o desempenho da empresa. Para controlar o próprio desempenho, o gestor precisa conhecer mais que apenas seus objetivos. Ele precisa avaliar seu desempenho e seus resultados em comparação com os objetivos. Os objetivos são fundamentais em todas as áreas em que o desempenho e os resultados influenciam de maneira direta e vital a sobrevivência e a prosperidade do negócio."

Capítulo 3
Pontos vulneráveis

"Todas as empresas têm seus pontos vulneráveis: cometem erros de orientação, adotam políticas, procedimentos e métodos que enfatizam e recompensam comportamentos errados e penalizam ou desencorajam comportamentos certos."

DURANTE O DIA QUE passamos juntos, tornou-se evidente que Drucker se concentrava intensamente nos acertos, nos erros e nas omissões dos gestores e que ele se interessava ainda mais pelos "porquês" subjacentes aos sucessos e aos fracassos organizacionais. Ele me deu uma aula sobre os maiores problemas com que se defronta determinado segmento da sociedade. Falou sobre organizações sem fins lucrativos como exemplos de empreendimentos que fracassam com mais frequência do que prosperam e sobre o que todos os gestores podem aprender com os erros dessas entidades.

"Poucas pessoas se dão conta de que a competição pelo dinheiro dos filantropos entre organizações sem fins lucrativos é muito mais intensa que a competição pelo dinheiro dos clientes entre organizações de negócios", declarou Drucker. "Trata-se de uma competição realmente muito acirrada. Em diversas organizações sem fins lucrativos, a falta de resultados significa que é preciso fazer das tripas coração."

Drucker insistiu em afirmar que o problema de profissionais mal colocados, em posições nas quais seus resultados são nulos ou mínimos, existe em todas as companhias, porém essa inadequação é ainda mais grave em hospitais, igrejas e outras organizações sem fins lucrativos do que no meio empresarial.

Para aumentar a produtividade em qualquer organização, os gestores devem avaliar com regularidade seus colaboradores mais importantes, seus pontos fortes e os resultados que conquistam e, em seguida, se perguntar: temos as pessoas certas, nos cargos certos? Onde elas podem contribuir de maneira mais eficaz? Temos funções incompatíveis com os objetivos da organização, ou seja, que mesmo quando bem executadas não agregam valor à organização? Como mudar pessoas, cargos e funções para que gerem melhores resultados?

Ruptura dos sistemas de remuneração

Em meados da década de 1980, Drucker ficou descontente com o cenário empresarial americano. A remuneração dos diretores executivos estava "totalmente fora de controle", argumentou, chegando a milhões de dólares, em salários e em opções de compra de ações, qualquer que fosse o desempenho das empresas, ao mesmo tempo que centenas de trabalhadores eram demitidos.

Para Drucker, as opções de ações eram míopes e recompensavam resultados inadequados, uma vez que estimulavam os gestores a gerenciar o presente, em detrimento do futuro. Ele afirmava que o preço das ações da empresa não era bom critério para determinar a remuneração de seus principais executivos.

Ele considerava reprovável o fato de a remuneração dos diretores executivos nos Estados Unidos corresponder a centenas de vezes a dos trabalhadores comuns. No Japão, eles não recebem mais que 40 vezes o salário dos trabalhadores comuns. Em consequência, Drucker passou a condenar as mesmas instituições sobre as quais escrevera quatro décadas antes. Foi por isso que voltou a atenção para as organizações sem fins lucrativos. Ele trabalhara como consultor de instituições dessa natureza durante anos, mas, segundo ele, a avareza dos executivos seniores foi o ponto de desequilíbrio, ou a gota d'água.

Nos anos 1980, as empresas americanas se encontravam em estado de transição. Na década anterior, elas se fortaleceram e resistiram, na tentativa de reconquistar seus trunfos, depois de quedas drásticas do mercado de ações, de sucessivas recessões, do embargo do petróleo e de taxas de juros estratosféricas, que chegaram perto dos 20% ao ano.

No entanto, depois de algum tempo, empresas como a General Electric partiram para a ofensiva. Determinadas a aumentar a lucratividade a qualquer custo, muitas se reestruturaram, eliminando níveis gerenciais e demitindo quantidades sem precedentes de trabalhadores. Além disso, fusões, incorporações e aquisições de controle no valor de bilhões de dólares não raro representavam grande parte do problema, por serem mais maléficas do que benéficas para as empresas envolvidas. O pior de tudo era que a remuneração dos diretores executivos aumentava em ritmo acelerado, ao passo que os índices de demissão de pessoal atingiam níveis nunca vistos. Entre 1970 e 1990, a remuneração dos executivos aumentou em mais ou menos 400%, enquanto o salário médio dos trabalhadores permaneceu praticamente constante em termos reais (descontada a inflação). Isso não fazia sentido para Drucker, que foi o primeiro a encarar os trabalhadores como recurso prioritário em vez de como custo indesejável, ao contrário da visão até então predominante.

Toda essa ganância era uma acusação do ideal jeffersoniano que Drucker adotara desde seu primeiro livro de negócios: "É algo imperdoável em termos morais e sociais", escreveu Drucker, para quem a remuneração dos diretores executivos deveria se limitar a cerca de 20 vezes o salário médio dos trabalhadores. "Pagaremos um preço alto por isso", advertiu, e foi além, rotulando essas práticas notórias de "fracasso final do capitalismo empresarial". Na opinião de Drucker, a organização em si se transformara numa espécie de "vidraça quebrada".

Acerte nos 80 e nos 20

Drucker, que nunca teve medo de seguir seus instintos, concentrou toda a atenção nas organizações sem fins lucrativos. Igrejas, universidades e outras escolas, serviços de saúde e comunitários e instituições de caridade, todos se tornaram clientes entusiásticos de Drucker. "Prestei muita consultoria sobre inovação em faculdades, universidades e igrejas", ele me contou.

No entanto, não eram nem as igrejas nem as universidades que apresentavam os maiores desafios gerenciais. De acordo com Drucker, são os hospitais que têm mais pontos vulneráveis: "Garanto-lhe que as posições gerenciais mais difíceis são as dos hospitais."

Drucker, então, explicou que os hospitais só funcionam bem para pacientes com doenças graves, que envolvam risco de morte: "Essas instituições não gostam de pessoas que não estejam gravemente doentes", disse. E acrescentou que, se uma idosa sofre um ataque cardíaco às três da madrugada, a equipe de emergência a atende em poucos minutos. Porém, afora as emergências de vida ou morte, os hospitais são "totalmente desorganizados".

A afirmação "Os hospitais não gostam de pessoas que não estejam gravemente doentes" é outra frase clássica de Drucker. A maioria dos pacientes com pequenas lesões ou em crises agudas menos graves sabe que Drucker acertou na mosca. "Os hospitais apreciam situações dramáticas. Sempre estão em prontidão, à espera de casos graves, e existem para isso. Porém, para os 80% dos pacientes que não estão em crise, o atendimento é péssimo."

A doutrina dos 80% de Drucker referente a hospitais nos induz a encarar as empresas de maneira diferente. O princípio 80/20 – 80% das vendas se concentram em 20% dos clientes – já se tornou clichê, um truísmo bem conhecido. Entretanto, ao reformular o princípio dos 80/20 sob outra perspectiva – de que maneira o negócio se organiza para a minoria dos clientes –, Drucker nos leva a repensar algumas das premissas e estratégias básicas em que nossas empresas se fundamentam.

Um dos conceitos-chave é questionar tudo. Por exemplo, em certas ocasiões, prestar atenção a segmentos menores e menos explorados pode render enormes dividendos. Drucker incentivou os gestores a se manterem atentos não só em relação aos clientes, mas também aos não clientes.

Exemplo de empresa que aplicou essa recomendação com eficácia é a NutriSystem, especializada em produtos dietéticos, que passou por dificuldades na década de 1990 e mudou de nome duas vezes, antes de aguçar o foco estratégico no início dos anos 2000. Em 2006, o crescimento da receita foi de 167%. O lucro operacional e o lucro líquido aumentaram em cerca de 300%.

Para tanto, ela focou um segmento do mercado de emagrecimento ignorado pelos concorrentes – o masculino –, embora os homens constituam apenas um quinto do mercado. O diretor executivo da NutriSystem declarou ter demonstrado que o mercado de perda de peso para homens, há muito tempo negligenciado pelas rivais, poderia se converter em grande oportunidade para a empresa. Ela, no entanto, não ignorou seus principais clientes, as mulheres.

* * *

Ao contrário da maioria das instituições, os hospitais devem realmente ser projetados e organizados para os 20%. Eles não têm escolha. São a última linha de defesa para vítimas de doenças e de lesões graves. Contudo, esse exemplo é um caso extremo. A grande maioria das organizações não está sujeita a tais restrições. Os gestores seniores podem e devem criar organizações mais aptas a atender às necessidades da maioria dos clientes atuais, ou os principais, a não ser que esperem mudança drástica no panorama de negócios - por exemplo, novas tecnologias ou concorrentes - ou na base de clientes - por exemplo, grandes transformações demográficas. No entanto, como demonstra o exemplo da NutriSystem, há grandes oportunidades inexploradas e enormes fontes de lucro à espera de organizações capazes de prospectar e desenvolver as multidões de não clientes.

Proteção dos pontos vulneráveis

Os gestores podem fazer muitas coisas para minimizar infortúnios, más políticas, métodos inadequados e hábitos mórbidos que inibem o bom desempenho.

- Certifique-se de que os melhores profissionais estão exercendo funções em que podem fazer as maiores contribuições. Dedique seus esforços aos competentes.
- Anote suas prioridades, porém não mais que duas, e se empenhe para que seu pessoal também se concentre nelas. Drucker assegura que nunca conheceu um gestor capaz de lidar com mais de duas prioridades ao mesmo tempo.
- Cultive a perspectiva de fora para dentro, garantindo que todos os gestores passem algum tempo com os clientes no mercado, o único lugar onde é possível colher resultados.

- Avalie sistemas, processos e políticas e descarte tudo o que aumente a burocracia e diminua a produtividade.
- Analise os sistemas de remuneração para se certificar de estar recompensando resultados capazes de efetivamente fazerem diferença.

Declarações de missão evitam mau funcionamento

Logo nos primórdios de sua carreira, Drucker escreveu que definir o negócio é importante, mas não é tarefa fácil. Um dos complicadores pode ser atribuído à mais fundamental das leis dele sobre negócios: "Apenas o cliente pode definir o propósito da empresa." Para analisar melhor essa ideia, voltemos ao exemplo de Drucker sobre hospitais.

Ele certa vez descreveu como trabalhara com uma equipe de administradores hospitalares no desenvolvimento da declaração de missão do pronto-socorro. A tarefa talvez pareça relativamente simples, mas não era. Não havia espaço para generalidades do tipo "nossa missão é assistência médica", a declaração mais comum à maioria dos hospitais. Essa definição é inadequada, declarou Drucker. "Hospital não é provedor de assistência médica; é um lugar de cuidar de doenças", argumentou.

"As declarações de missão devem tratar do aspecto operacional; do contrário, não passam de meros votos de boas intenções." Para Drucker, a melhor descrição dos propósitos de um pronto-socorro é "tranquilizar os aflitos". Embora muitos administradores hospitalares tenham achado que essa definição era muito genérica e "notoriamente óbvia", Drucker a considerava perfeita, pois atendia aos 80%, assim como aos 20%.

Afinal, raciocinava, tranquilizar os aflitos é o que o pronto-socorro faz para a maioria das pessoas que recorrem a ele. "'Seu filho está com febre muito alta, mas já foi medicado e logo irá melhorar', informa o médico à jovem mãe, depois de examinar o bebê. 'Sua mãe teve uma crise grave, mas não corre risco de morrer.' 'Sua irmã distendeu o tornozelo. Recomendo que ela volte para casa e aplique gelo no local.' Menos de 20% dos pacientes realmente se encontram numa situação de emergência que exige atenção médica imediata." O foco de Drucker sempre estava no verdadeiro problema, não nos fatores que podem desviar a atenção mesmo dos gestores mais bem-intencionados.

Ele já afirmou que o trabalho dos gestores é transformar a declaração de missão da instituição em tarefas específicas. Apenas declarações específicas indicam aos funcionários como contribuir para que a organização alcance seus objetivos.

Drucker aprofundou o exemplo do hospital para reforçar outros pontos-chave, como a maneira pela qual até organizações "deficientes" podem ser eficazes em alguma área, se a declaração de missão for clara o bastante: até um mau hospital pode ser muito competente ao deparar com crises. É para isso que foram feitos. Os hospitais amam emergências e prosperam em situações de risco.

Ele também explicou como a missão desempenha papel fundamental ao determinar o talento a ser atraído pela organização. Por exemplo, a enfermeira que opta por trabalhar em prontos-socorros é completamente diferente da que prefere atuar em consultórios médicos: "Se você não quiser enfrentar situações de crise, trabalhe em consultórios médicos, onde não terá de lidar com emergências e o trabalho é muito mais simples."

Pontos vulneráveis em editoras

Vejamos mais um exemplo de como as organizações que se concentram nos objetivos errados apresentam um mau funcionamento. No caso, o exemplo vem do mercado editorial, um setor relativamente pequeno. Num tom irônico, Drucker contou que nunca errara tanto ao prever o futuro de um negócio. E afirmou que em nenhum outro setor cometera tantos erros em suas previsões quanto no de livros.

Talvez isso tenha acontecido porque o mercado editorial se caracteriza pela singularidade de seus produtos, que não são fabricados em linhas de montagem, mas têm origem no coração, no cérebro e na verve dos autores. Outro fator determinante é como os talentos dos escritores se combinam com numerosas variáveis importantes para o leitor no momento da publicação. No entanto, o mercado editorial se assemelha a muitos outros negócios: boa parte de suas receitas (provavelmente 90%) é gerada por uma porcentagem pequena de seus produtos (digamos, 10%). Além disso, pode-se afirmar que não são realizados testes de mercado antes do lançamento dos livros.

Ao contrário das marcas que se concentram em um único produto ou em poucos, uma grande editora costuma lançar mais de 100 novos títulos por ano. Traçando um paralelo, sabe-se que a Nabisco jamais produziria essa quantidade de tipos de biscoito no mesmo período. A Coca-Cola nunca fabricaria 150 novas variedades de bebidas. O livro é um dos poucos produtos de consumo *não* tratado como produto de consumo.

No entanto, como o desempenho de muitos livros pode trazer grandes surpresas – tanto positivas quanto negativas –, os editores não têm condições de separar "o joio do trigo" antes do lançamento. No entanto, o que acontece *depois* do lançamento é que revela um dos principais pontos vulneráveis do mercado editorial.

Muitos autores cujos livros fracassam, ou seja, os escritores que elaboram os piores produtos, em geral consomem parcela considerável dos recursos da empresa. Com frequência, autores frustrados bombardeiam os editores com queixas, telefonemas, e-mails e cartas. Muitos até importunam os principais executivos com suas reclamações. Quando isso acontece, a organização redobra seus esforços para estancar a hemorragia e amenizar o problema.

Quando a mensagem irada é transmitida de cima para baixo na hierarquia organizacional, quase sempre comunicada pelo gabinete do diretor executivo, editores e gerentes de marketing deixam tudo de lado para acalmar o autor. Poucos escritores compreendem que, se o lançamento é um fracasso, os livros dificilmente se recuperam. O fiasco é eterno. Nenhuma campanha publicitária ou promoção de vendas será capaz de mudar seu destino.

Em quantas empresas se encontrariam exemplos semelhantes? De acordo com Drucker, todas as organizações tendem a se concentrar em coisas erradas uma vez ou outra. "Não há negócio que não tenha seus pontos vulneráveis, erros de orientação, políticas, procedimentos e métodos que aceitam e recompensam comportamentos errados e penalizam ou desencorajam comportamentos certos."

Para ter certeza de que pontos vulneráveis não se alastrem por toda a empresa, os gestores devem se certificar de que a organização, os funcionários e os sistemas se concentrem nos produtos, nas ofertas e nos clientes que geram a maior parte do negócio. E os profissionais mais capazes devem receber o desafio de criar os negócios mais lucrativos de amanhã. Uma das maneiras de alcançar esse resultado é atribuir a uma ou mais equipes pequenas tarefas específicas, envolvendo produtos, serviços ou ideias com potencial para serem implementadas no futuro. Essa é uma das maneiras pelas quais as organizações podem infundir o espírito de inovação em sua cultura. No entanto, elas devem se assegurar de que suas decisões beneficiem a empresa tanto no futuro próximo quanto no longo prazo. E também precisam se empenhar para não negligenciar seus principais negócios e clientes, sob pena de não ter futuro a garantir.

Pontos vulneráveis

Para ter certeza de que os pontos vulneráveis não irão tirar a empresa dos trilhos, os gestores devem avaliar seus subordinados diretos de tempos em tempos, para que cada um exerça as funções em que pode fazer mais diferença. Além disso, os sistemas e processos também devem ser analisados periodicamente a fim de eliminar os que se tornaram irrelevantes para a organização.

É igualmente importante ter certeza de que todos na organização sejam capazes de descrever a própria missão. Apenas declarações de missão específicas esclarecem como cada um pode contribuir para que a organização alcance seus objetivos.

Por fim, para evitar perder oportunidades, os gestores devem se empenhar em transformar alguns clientes em não clientes. Isso significa não se deixar distrair por "pontos vulneráveis" que nada fazem a não ser desperdiçar tempo e recursos.

Capítulo 4

De fora para dentro

"O executivo atua em organizações das quais vê, quando muito, o lado de fora apenas através de lentes espessas e que distorcem a realidade. O que ocorre no mundo exterior em geral não é conhecido de maneira direta, e sim por meio de informações incluídas em relatórios, que são como filtros da organização."

Nos últimos anos, muito tem sido escrito sobre a importância de se adotar uma perspectiva "de fora para dentro", de modo que se possa observar a organização através dos olhos dos clientes, dos fornecedores ou de outros observadores externos mais objetivos.

Esse tópico é tão importante que tem atraído a atenção de vários autores e teóricos de grande visibilidade. Noel Tichy, que chefiou o centro de treinamento gerencial da GE, em Crotonville, em meados da década de 1980, e o renomado consultor Ram Charan trataram do tema em seu livro *Every Business is a Growth Business* (2000), aclamado pela crítica. Mais recentemente, Barbara Bund, autora do Instituto de Tecnologia de Massachusetts (MIT), dedicou um livro inteiro ao tema abordado neste capítulo.

Como vimos em relação a tantas questões importantes, Peter Drucker também foi o pai intelectual da empresa de fora para dentro, um de seus conceitos clássicos. O desenvolvimento dessa perspectiva implica abandonar a que era usada no passado e abraçar a nova realidade, observando a organização sob o ponto de vista privilegiado do cliente. E as organizações não são aliadas dos gestores nessa tentativa.

Drucker foi o primeiro autor de livros de negócios a observar que as organizações, pela própria natureza, tendem a confinar os gestores, a limitar seu campo de visão e a destruir sua eficácia. No entanto, ele não tirou essa conclusão da noite para o dia. Para chegar a essa constatação, seu pensamento precisou evoluir.

Primeiro, ele concebeu o que denominou Lei de Drucker, que descreveu pela primeira vez no livro *A prática da administração de empresas*: "Só há uma definição válida do propósito das empresas: criar clientes." E foi assim que surgiu o mais proclamado princípio gerencial desse grande pensador.

Oito realidades para todos os gestores

Em seu livro de 1964, *Administrando para obter resultados*, que considera um "manual prático", Drucker lança o conceito "de fora para dentro". Ele também argumenta que muitos gestores se envolvem numa espécie de "pega pra capar" em que só têm tempo para "examinar a papelada que o mensageiro deixa em suas mesas" (que hoje equivale à "caixa de entrada" dos programas de e-mail) e representa o cúmulo do comportamento de dentro para fora. Esse tipo de gestão passiva é uma receita infalível para o fracasso. No entanto, Drucker explica por que a gestão de dentro para fora é uma armadilha comum que atrapalha a grande maioria dos gestores.

Ele começa identificando oito realidades de negócios com que todos os gestores devem lidar para maximizar o desempenho da empresa. Essas realidades constituem "os fundamentos e as constantes do mundo exterior, os fatores que os executivos devem encarar como premissas, restrições e desafios". A maneira como a organização enfrenta essas realidades determina seu destino. As que conseguem transformar essas restrições em oportunidades alcançarão resultados superiores no longo prazo. A seguir, apresento um breve sumário das realidades de negócios de Drucker.

- **Os resultados e recursos se situam fora da empresa.** Repetidas vezes, Drucker salientou que dentro das organizações não há centros de lucros, apenas centros de custos. O que a maioria denomina centros de lucros são, na realidade, centros de custos. Os resultados nunca dependem de ninguém dentro da empresa, mas dos clientes e do mercado. "É sempre alguém de fora que determina se os esforços da empresa irão se transformar em resultados econômicos ou se eles simplesmente vão se tornar lixo e sucata", declarou Drucker.
- **Os resultados são alcançados pela exploração de oportunidades, não pela solução de problemas.** A solução de problemas apenas restabelece o estado atual da organização. Para alcançar resultados, os gestores devem explorar oportunidades. No entanto, na maioria das empresas, os melhores profissionais passam boa parte do tempo apagando incêndios, em vez de buscando novas oportunidades que podem se tornar o próximo negócio lucrativo.

  Para obter resultados, os recursos devem ser alocados para as oportunidades.

  Muitos gestores cometem o erro de desperdiçar recursos, direcionando-os para a solução de problemas. "Maximização de oportunidades é a descrição adequada, ou melhor, a definição exata do trabalho do empreendedor. Significa que a eficácia, não a eficiência, é essencial para o sucesso nos negócios. O segredo não é 'fazer certo as coisas', e sim 'fazer as coisas certas'", afirmou Drucker.

- **Os melhores resultados convergem para os líderes do mercado.**
  "Lucro é a recompensa por contribuições singulares ou, ao menos, diferenciadas, algo que tem valor para o mercado", declarou Drucker. Tamanho não determina liderança. As maiores recompensas não se destinam necessariamente às maiores empresas. "A companhia que quer resultados econômicos precisa ser líder em *algo* que tenha valor para o cliente ou para o mercado. Pode ser apenas em um aspecto restrito mas importante da linha de produtos, ou em serviços, ou em distribuição, ou, talvez, na capacidade de transformar ideias em produtos vendáveis, com agilidade e a baixo custo."
- **A liderança é efêmera.**
  A liderança do mercado é algo temporário. "As empresas tendem a perder a liderança e a se tornar medíocres", escreveu Drucker. "Compete ao gestor reverter essa tendência e garantir que os recursos sejam destinados às áreas que oferecem as maiores chances de sucesso e se afastem dos segmentos problemáticos. Os gestores devem se contrapor à tendência para a mediocridade, gerando energia e traçando novos rumos."
- **O que existe está envelhecendo.**
  Drucker explica que os gestores "passam mais tempo desfazendo o passado do que construindo qualquer outra coisa". Os produtos bem-sucedidos de hoje são frutos do trabalho de ontem. Até os melhores gestores caem na armadilha de se concentrar no passado. Os executivos mais eficazes compreendem que suas decisões e ações, uma vez integradas na organização, se tornam obsoletas por novos acontecimentos

ou por mudanças nas circunstâncias. "Qualquer decisão ou ação humana começa a envelhecer no momento de sua concepção", escreveu Drucker.

- **O que existe tende a estar mal distribuído.**
  Para debater esse tópico, Drucker invoca a regra 80/20, mas declara que a "regra 90/10" seria mais adequada. Ou seja, os primeiros 10% de todos os esforços da empresa produzem 90% dos resultados. Esse princípio se aplica aos produtos, aos clientes e até ao pessoal de vendas. (Os 10% dos melhores vendedores produzem 90% dos resultados.) A chave, então, é garantir que o melhor da empresa – sejam recursos humanos ou de outra natureza – seja alocado para os projetos e produtos com potencial para produzir a maior parte dos resultados.
- **Para alcançar os melhores resultados econômicos, concentre-se.**
  As empresas devem resistir à tentação de se dispersar entre muitas atividades. Em vez disso, precisam concentrar a atenção e os recursos em apenas poucos produtos, serviços, clientes, mercados, etc. Drucker argumenta que nenhuma outra regra de negócios é desrespeitada com tanta frequência quanto o princípio da concentração. Do mesmo modo, ao reduzir custos, os gestores tendem a cortar pequenos pedaços de tudo, incluindo músculos, em vez de eliminar apenas as gorduras. Essa abordagem pode ser prejudicial à empresa. Em vez disso, os gestores precisam tomar decisões muito mais estratégicas, definindo as áreas que não devem sofrer mudanças e aquelas suscetíveis de cortes muito mais ousados, sem que a essência do negócio seja comprometida.

Três anos depois, em *O gerente eficaz*, Drucker ampliou a doutrina "não há resultados dentro da organização". Ele sugeriu que muitas organizações se tornam míopes e se isolam dos clientes e da concorrência, por não passarem tempo suficiente no mercado, que para ele é "o único lugar que importa".

É por essa razão que a visão míope e a perspectiva de dentro para fora em nada contribuem para que os gestores compreendam o mais importante público da empresa. Porém o desenvolvimento da perspectiva de fora para dentro não é um exercício fácil, tendo em vista que várias "realidades inevitáveis" complicam a vida organizacional.

Essas outras realidades, quando combinadas com as descritas anteriormente, oferecem um panorama completo dos obstáculos com que todos os gestores se defrontam a cada dia. Essas observações atemporais são tão úteis hoje quanto na época em que foram escritas, há quatro décadas.

Mais realidades gerenciais

Outra realidade é que o tempo dos gestores pertence a *todo mundo*. Ou seja, os gestores são prisioneiros nas próprias organizações. Eles têm que lidar com superiores, conselhos diretores, relatórios, apresentações, orçamentos e questões de recursos humanos.

Há tantas distrações que roubam o tempo dos gestores que eles nem sequer podem afirmar que o tempo de fato pertence a eles. E quanto mais alto o cargo que o gestor ocupar na hierarquia, menos controle exercerá sobre o próprio tempo. Os "prisioneiros" têm dificuldade em ver além da própria caixa de entrada, quanto mais em dispor de uma visão clara do mercado.

Drucker argumentou que o que ocorre no mundo exterior em geral não é conhecido de maneira direta, e sim por meio de informações incluídas em relatórios, que são como filtros da organização.

É por essa razão que é tão importante para os gestores desenvolver a perspectiva de fora para dentro, a fim de neutralizar os efeitos das realidades claustrofóbicas da organização.

Essas duas realidades – que o tempo do gestor não lhe pertence e que ele vê o mercado apenas através de lentes espessas e que distorcem a realidade – tornam o desenvolvimento da perspectiva de fora para dentro um grande desafio gerencial. Drucker também insistiu em que o executivo principal é a conexão essencial entre o mundo interior e o exterior, ou seja, entre o lado de dentro e o de fora da organização. Embora esse ensinamento não pareça muito difícil de ser assimilado, um dos mais aclamados executivos de todos os tempos precisou de muitos anos para compreender toda a importância da perspectiva de fora para dentro.

A grande ideia de Welch

Certa vez, durante uma palestra em Nova York, Jack Welch afirmou: "A perspectiva de fora para dentro é uma grande sacada. Durante mais de 100 anos adotamos a perspectiva oposta – de dentro para fora. Enquadrar tudo a essa nova lente mudará o cenário." Welch fez esses comentários para um público diversificado, em 1999, quase duas décadas depois de se tornar presidente do conselho de administração da GE.

Muitas das empresas mais admiradas pelo público fracassaram porque seus executivos não conseguiram manter a perspectiva certa ou não reconheceram que alguns importantes mercados dinâmicos haviam mudado a realidade de seus contextos operacionais.

A IBM, por exemplo, estava em declínio quando seu conselho de administração contratou o diretor executivo da RJR Nabisco para promover a virada da empresa. Ninguém podia imaginar que Lou Gerstner, o rei dos biscoitos, fosse capaz de recuperar a empresa, que, em 1993, registrou perdas de cerca de US$ 8 bilhões. Gerstner logo se deu conta de que a organização se tornara tão grande e burocrática que perdera o contato com os clientes, deixando de identificar suas necessidades e aspirações. As ações caíram para menos de US$ 15 pela primeira vez desde a década de 1980 e o futuro parecia sombrio.

Gerstner se revelou a pessoa certa no momento certo para a IBM. Numa entrevista que fiz com ele para um outro livro, ele me disse que "grande parte do que eu tinha de fazer era deslocar o foco da empresa para o mercado, como única medida que levaria ao sucesso". E acrescentou: "Disse a praticamente todos os públicos que os clientes dirigiam a IBM e que a reconstrução da empresa seria possível a partir do momento em que o foco fossem eles. São declarações muito simples, mas de enorme importância para mudar mentalidades."

Mudar mentalidades é grande parte da essência de Drucker. Abandonar atitudes e modos de pensar ultrapassados e adotar outros mais adequados à nova realidade é um dos ensinamentos clássicos de Drucker.

Foi o que Gerstner fez depois que a atitude arrogante da IBM a levou a perder a revolução dos computadores pessoais. A mentalidade de fora para dentro ajudou a reinventar a empresa e contribuiu para transformar, em cinco anos, o *prejuízo* de US$ 8 bilhões em *lucro* de US$ 5 bilhões.

A GE fornece outro exemplo de como o foco nos clientes e no mercado pode fazer enorme diferença para o sucesso das empresas. Trata-se da estratégia Seis Sigma – o programa de qualidade que ajuda organizações a reduzir o número de defeitos ou erros para menos de 3,4 por milhão – adotada por Jack Welch. Ele implementou a iniciativa em toda a empresa, com mais vigor que em qualquer outro programa da GE.

Welch observava os gestores celebrando o sucesso dos programas de qualidade Seis Sigma, exatamente numa época em que os clientes se queixavam de que as coisas não estavam melhorando. No linguajar de Drucker, as paredes grossas da empresa haviam distorcido a visão dos gestores. Foi quando Welch teve um acesso de fúria na reunião anual dos altos executivos, deixando claro para todos que as coisas precisavam mudar. Ele havia compreendido a lição da perspectiva de fora para dentro.

O varejista que não perde o mercado de vista

Outra empresa que segue o princípio de fora para dentro é a Tesco PLC, o maior varejista de comestíveis do Reino Unido e o quarto maior varejista do mundo, superado apenas pelo Wal-Mart, pela Home Depot e pelo grupo francês Carrefour. Essa empresa inovadora e altamente bem-sucedida se reinventou quando resolveu focar no cliente para reconstruir a organização.

Uma das estratégias da companhia tem sido diversificar suas ofertas, vendendo serviços que em geral não são encontrados nos supermercados, como os bancários e os financeiros. Hoje, ela é uma das empresas de serviços financeiros que mais cresce na Europa.

Para reinventar a organização, os gestores começaram pela missão, que hoje se encontra gravada em uma placa que dá as boas-vindas a todos que transpõem as portas de sua sede social, em Cheshunt, Inglaterra: CRIE VALOR PARA OS CLIENTES, A FIM DE CONQUISTAR A FIDELIDADE VITALÍCIA DELES. Observe que valor para os clientes, não valor para os acionistas, é a preocupação básica da gerência, confirmando a premissa "Retenha os clientes e os lucros virão".

Os valores da empresa reforçam a missão do negócio. Entre eles, o principal é: "Conhecer os clientes melhor do que ninguém."

Diante do sucesso atual, talvez seja difícil acreditar que, não muito tempo atrás, a Tesco era uma empresa de segunda categoria, conhecida pela má qualidade dos serviços prestados aos clientes e por imitar a concorrência. Na década de 1990, ela perdeu de 1% a 2% de participação de mercado por ano.

Para se recuperar, a companhia promoveu várias mudanças, ao longo de muitos anos. O sucesso da empresa, portanto, foi consequência de diversas modificações sempre mantendo o foco nos clientes, em vez de uma única grande transformação isolada.

Uma iniciativa importante foi a criação de um programa gerencial em que os gestores passavam uma semana nas lojas, exercendo diferentes funções de linha de frente, de modo que pudessem compreender melhor os clientes e como o próprio trabalho se encaixava no esquema mais amplo. O gerente de logística e de TI, por exemplo, foi trabalhar no depósito, onde empilhou caixas nas prateleiras. O diretor executivo se instalou numa das caixas registradoras, para ter contato direto com os clientes.

Várias outras iniciativas reforçaram a satisfação e a fidelidade dos clientes. Em 1993, a empresa criou uma linha de produtos econômicos, com preços mais baixos e de marca própria. Em 1994, lançou o programa "one in front" (um na frente), segundo o qual as lojas abririam uma nova caixa, sempre que a fila diante de qualquer caixa tivesse mais de duas pessoas esperando para serem atendidas.

Em 1995, a Tesco criou o Clubcard, que restitui 1% do valor das compras que os clientes fazem por meio de um programa de descontos, uma das iniciativas de fidelização de maior sucesso em todos os tempos.

Tudo isso explica por que a companhia despontou como o varejista número 1 do Reino Unido, conquistando mais de 30% do mercado de alimentos. A empresa também se expandiu com lucro para a Europa Central e para a Ásia.

Ela também é uma organização que reconhece as diferenças culturais entre seus clientes. Os produtos que vende fora da Inglaterra são adaptados às características locais de cada um dos mercados.

O diretor executivo da Tesco, sir Terry Leahy, é um dos mais importantes executivos do mundo e atrai a atenção da imprensa internacional. A revista *The Economist* afirmou que ele "não muda nem uma lâmpada sem antes pesquisar os clientes e analisar os dados de vendas". Peter Drucker elogiaria o estilo Terry Leahy de fazer negócio.

Cultive os hábitos da perspectiva de fora para dentro

O que os gestores podem fazer para se livrar das "lentes espessas e que distorcem a realidade" a que Drucker se refere no começo deste capítulo? De que maneira podem desenvolver a perspectiva de fora para dentro? Considere o seguinte:

- **Vá para onde os clientes estão.**
  Inspire-se no programa de troca de funções da Tesco, estimulando seus colaboradores a trabalhar diretamente com os clientes. Participe de reuniões, de palestras e de quaisquer outros eventos ou encontros que lhe permitam estar face a face com os clientes. E não se esqueça dos não clientes, pessoas que hoje não compram seus produtos e serviços, mas que podem fazê-lo no futuro.

  Convide regularmente clientes e fornecedores para se reunirem com seu pessoal.

  Nada substitui o diálogo direto. Quanto mais estreito for o relacionamento de seu pessoal com os clientes mais importantes, mais a organização conhecerá as necessidades e as preferências desse público.

- **Use a tecnologia para aumentar a satisfação dos clientes.** O Wal-Mart utiliza tecnologia sofisticada para agilizar o fluxo de informações entre as lojas, os depósitos e os escritórios. Esses recursos permitem que a empresa monitore, em tempo real, as compras, as vendas e os estoques, de modo que nunca faltem itens nas prateleiras. A Tesco usa sensores térmicos para identificar gargalos e congestionamentos nas lojas – a mesma tecnologia empregada na localização de sobreviventes em desabamentos – com o objetivo de melhorar a circulação nos corredores e assim dar mais conforto aos clientes.
- **Passe de duas a quatro horas por semana visitando lojas, sites ou quaisquer outros pontos de venda dos concorrentes.** Se uma parcela substancial dos negócios de sua empresa for realizada on-line, então seu mercado é a internet. Certifique-se de que seu pessoal saiba o que os concorrentes estão fazendo, para se manter um passo adiante ou enfrentar de imediato as ameaças competitivas mais recentes.

De fora para dentro

A importância primordial da perspectiva de fora para dentro é produto da evolução do pensamento de Drucker. De início, ele formulou sua lei: "Só existe uma definição válida do propósito das empresas: criar clientes." Depois, descreveu seus oito princípios de negócios, que proporcionam uma visão mais ampla das razões por que a perspectiva de fora para dentro é tão importante para o sucesso.

Esses princípios abrangem a análise de como os resultados só são obtidos fora da organização, de como os recursos devem ser destinados às oportunidades, não aos problemas, e de como as empresas mais eficazes se concentram no menor número de ofertas. Posteriormente, ele acrescentou duas outras realidades que afetam a capacidade dos gestores de desenvolver a perspectiva de fora para dentro: primeiro, os executivos são prisioneiros da organização, ou seja, seu tempo não lhes pertence. Além disso, os gestores veem – se é que veem – os mercados por meio de lentes espessas e que distorcem a realidade. Isso significa que os administradores devem tomar a iniciativa de desenvolver percepções não filtradas do mercado, aproximando-se tanto quanto possível dos clientes. Bom modelo para isso é o varejista inglês Tesco e o programa de troca de funções que criou. Nele, os gestores seniores trabalham nas lojas, durante uma semana, para desfrutarem de uma visão direta dos clientes, sem filtros e sem intermediários.

Capítulo 5
Quando não se conta com talentos inatos

"O que os gestores fazem pode ser analisado de maneira sistemática. O que eles devem ser capazes de fazer precisa ser aprendido. Mas uma qualidade não pode ser adquirida, pois é algo inato. Não é genialidade, é caráter."

DRUCKER SE REFERIA AOS "talentos inatos" – indivíduos capazes, considerados bons gestores, que identificam as prioridades certas, inspiram os outros e sabem tomar decisões em momentos críticos. Esses profissionais não microgerenciam todas as atividades e compreendem, por intuição, que os líderes autocráticos não são eficazes e não passam de relíquias do passado.

Sabem que a intimidação é sufocante e contraproducente, sobretudo quando se trata de criatividade. São autoconfiantes e não têm dúvidas sobre a própria capacidade de tomar decisões difíceis. Definem as prioridades certas e realizam o trabalho de maneira consistente, mesmo durante crises. Por tudo isso, esses profissionais são promovidos com mais rapidez e frequência que os colegas.

Neste capítulo, vou tratar dos "talentos inatos" – de início, no mesmo contexto histórico em que Drucker os descreveu para mim – e depois detalhar algumas das importantes lições que ele nos deixou com relação a esses gestores bastante competentes.

O surgimento da empresa moderna

Os tópicos selecionados por Drucker no dia da entrevista comigo me deram a impressão de que ele me via como seu biógrafo, apesar de eu ter lhe dito desde o primeiro contato que não pretendia escrever sobre a história da vida dele. Conforme lhe expliquei, meu objetivo era enfocar suas melhores ideias gerenciais e mostrar como elas são aplicáveis aos mercados globais turbulentos de hoje. No entanto, essas ressalvas não o impediram de fazer sucessivos relatos sobre seu passado. Embora mal tivéssemos discutido os itens com que havíamos concordado antecipadamente, agora sei que ele me ofereceu mais do que eu pedira. Drucker me proporcionou uma visão rara de sua vida e suas ideias, incluindo episódios e lições que ele não contara a ninguém até então e que nem viria a relatar no futuro.

Não muito depois de começarmos a conversar, percebi que ele estava determinado a expor suas contribuições em um contexto mais amplo. Ele sentiu que a melhor maneira seria retroceder ao surgimento da empresa moderna, relatando como e quando ela havia sido constituída, estruturada e aprimorada. Drucker também não poupou esforços para ressaltar os méritos de seus "antepassados", os que desbravaram o caminho e fincaram os alicerces do que ele viria a construir no futuro.

Como ponto de partida, ele remontou às origens das grandes empresas, nos idos da década de 1870. Explicou que as grandes corporações surgiram depois da Guerra Civil americana. O curioso é que essas organizações enormes emergiram simultaneamente nos Estados Unidos, na Alemanha, no Japão e no Reino Unido. Na França, porém, elas não se desenvolveram com tanta rapidez. Drucker afirmou que aquele país dependeu das "empresas familiares por mais tempo do que qualquer uma das grandes potências".

"Houve administradores em todas as épocas, mas eles eram muito raros", relatou Drucker. Antes de as grandes empresas surgirem, as pessoas mais capazes geriam os negócios da família, e ele denominou esses indivíduos os talentos inatos mais aptos. "Porém, a partir de determinada época, as famílias não podiam mais depender da disponibilidade de talentos inatos do próprio clã", disse Drucker. "Só se pode depender da oferta espontânea de talentos inatos quando a demanda é pequena. Mas, quando se necessita de grande quantidade de administradores capazes, a administração deve ser transformada em algo que possa ser ensinado e aprendido. E foi o que eu fiz." Ao criar a administração como disciplina, ele forneceu as ferramentas que podem transformar pessoas sem tendências inatas para a administração em gestores competentes.

Os livros de Drucker contribuíram para a formação de milhares de administradores, que se tornavam cada vez mais necessários, à medida que as empresas aumentavam em quantidade e se tornavam maiores durante o boom do pós-guerra. O lançamento de *A prática da administração de empresas*, em 1954, considerado o melhor manual de gestão dos tempos modernos, foi um acontecimento de grande importância. Em 1956, por exemplo, quando David Packard (da Hewlett-Packard) definiu os objetivos de sua empresa, ele recorreu ao livro de Drucker, como relatou Jim Collins, autor de *Empresas feitas para vencer*. Collins vai adiante e afirma que *A prática da administração de empresas* "se destaca talvez como o mais importante livro sobre gestão já escrito". Reconhecimento e elogio como esses são notáveis, por terem sido feitos pelo autor de um dos best-sellers sobre negócios mais aclamados da história.

Jack Beatty, editor da revista *The Atlantic Monthly* e autor do livro *O mundo segundo Peter Drucker*, concorda com Collins: "Por volta de 6 de novembro de 1954, Peter Drucker inventou a administração. A época não poderia ser mais oportuna, pois o boom das décadas de 1950 e de 1960 estava prestes a ocorrer, mas ainda não havia nenhum livro que fosse o precursor dessa disciplina, que a explicasse aos administradores, incluindo-a entre as grandes inovações sociais do século XX. Drucker preencheria essa lacuna."

Quando perguntei a ele por que Beatty o proclamara inventor da administração em 1954, ele sorriu e disse: "Beatty devia saber de alguma coisa que eu desconheço." Até hoje não sei se Drucker estava sendo modesto ao afirmar, como costumava fazer, que não havia inventado a administração ou se simplesmente queria mudar de assunto. No entanto, pouca gente questiona o fato de que Drucker foi o pensador certo – e o autor certo – no momento adequado.

Nas cinco décadas seguintes, *A prática da administração de empresas* influenciou milhões de líderes e aspirantes a líderes. Essa lista incrível inclui os diretores executivos de instituições como a GM, a Ford e o Banco Mundial. Também se sabe que Drucker aconselhou Margaret Thatcher, primeira-ministra do Reino Unido de 1979 a 1990, a privatizar a indústria mineradora britânica.

Jim Collins assim descreveu a influência direta de Drucker sobre as empresas "visionárias" de seu best-seller: "Em nossa pesquisa para o livro *Empresas feitas para vencer*, Jerry Porras e eu deparamos com várias empresas excelentes cujos líderes haviam sido moldados pelos livros de Drucker, entre as quais a farmacêutica Merck, a Procter & Gamble, a Ford, a GE e a Motorola. Multiplique esse impacto por milhares de organizações de todos os tipos, entre as quais departamentos de segurança pública, orquestras sinfônicas, agências governamentais e empresas privadas, e é difícil não concluir que Drucker foi uma das pessoas mais influentes do século XX." Apenas para constar, as 18 organizações visionárias de *Empresas feitas para vencer* superaram o desempenho do mercado de ações como um todo por um fator de 15 na ampla pesquisa do livro, num período de vários anos.

John Byrne, editor executivo da *BusinessWeek* e escritor, que entrevistou Drucker várias vezes ao longo de mais de 20 anos, escreveu o seguinte sobre o pioneiro da administração, numa reportagem de capa intitulada "O homem que inventou a administração": "A história de Peter Drucker é a história da própria administração. É a história da ascensão da empresa moderna e dos gestores que organizam o trabalho. Sem as análises dele, é quase impossível imaginar o surgimento de grandes companhias que se dispersam por todo o globo."

Gerentes de nível médio e a sociedade do conhecimento

Eu estava muito consciente do tempo naquele dia em que visitei Drucker e sabia que não teria muitas horas para entrevistá-lo.

Ele já tinha me dado uma aula sobre os primórdios das grandes empresas, mas eu queria saber como as coisas evoluíram desde então. "O modelo de companhia de que tratava a maioria dos livros de negócios, até recentemente, era a que existia em 1918", relatou ele. As organizações daquela época, afirmou, "tinham um punhado de pessoas no topo e, no nível inferior, uma grande massa não diferenciada de trabalhadores não qualificados ou semiqualificados". Naquela época, não existiam os profissionais que ocupavam cargos de gerência de nível intermediário, tão comuns hoje. "É uma invenção do pós-guerra. Não, não é bem assim", ele se apressou em corrigir. "Mas os administradores de nível médio antes da Segunda Guerra Mundial constituíam uma camada hierárquica pouco significativa."

Drucker disse que várias empresas mantiveram essa estrutura assimétrica durante muitos anos: "Na verdade, mesmo nas primeiras companhias que conheci nos Estados Unidos, os supervisores de primeira linha ainda se reportavam diretamente à alta administração. Estou me referindo a organizações industriais, como a Remington, em Connecticut", explicou ele.

Por ter passado boa parte de minha carreira atuando como gerente intermediário, tive dificuldade em imaginar organizações sem esse nível hierárquico, o que me levou a perguntar a Drucker como essa camada de gestores se desenvolveu. Ele respondeu que a DuPont foi a primeira a criar esse escalão, ou, ao menos, foi uma das pioneiras. Lá, como em outros negócios familiares, apenas membros da família tinham acesso à alta administração, explicou ele.

Drucker, então, reverteu a questão e indagou: "E o que você faz com os profissionais capazes que não pertencem à família?" "Oferece-lhes cargos gerenciais", respondi. "Certo. Foi o que DuPont fez: criou cargos de gerência intermediária apenas para mantê-los no quadro de funcionários." Nesse momento, Drucker se referia a Pierre S. du Pont (1870-1954), que foi presidente dessa empresa de 1915 a 1919.

Em 1920, Pierre du Pont investiu intensamente na GM, que, na época, estava à beira da falência, e se juntou a Alfred Sloan com o intuito de desenvolver uma estrutura gerencial descentralizada na empresa automobilística.

Tanto DuPont quanto Sloan eram talentos inatos, mas ambos presidiam organizações que, à medida que se expandiam, demandariam quantidades cada vez maiores de gestores treinados. Drucker explicou que a Segunda Guerra Mundial mudou tudo, em grande parte em virtude da G.I. Bill, a lei por meio da qual o governo dos Estados Unidos assumiu dois compromissos: custear o ensino superior dos que serviram ao país nas Forças Armadas e financiar novas empresas constituídas por militares que retornavam ao país após o conflito. "Essa lei foi a responsável por mudar a sociedade americana, porque uma quantidade extraordinária de pessoas que nunca haviam imaginado cursar a universidade puderam concluir o ensino superior", explicou Drucker. "E quem tem formação universitária reluta em trabalhar como operário de fábrica. O que criou a sociedade do conhecimento foi a oferta, não a demanda", esclareceu ele.

Com milhões de trabalhadores graduados ingressando no mercado de trabalho, em nenhuma outra época houve maior demanda por recursos e métodos que ajudassem os profissionais a compreender e aprender a lidar com as complexidades da função gerencial. É por essa razão que o lançamento dos livros de Drucker não poderia ter sido mais oportuno.

A G.I. Bill foi promulgada por Franklin Roosevelt em 1944. Quando a lei foi revogada, em 1956, quase metade dos 16 milhões de ex-combatentes da Segunda Guerra Mundial havia concluído o ensino superior ou outros tipos de educação formal. Isso levou ao acréscimo de "trabalhadores do conhecimento" à força de trabalho.

O livro *Concept of the Corporation* foi lançado em 1946, e *A prática da administração de empresas*, em 1954. O primeiro enaltecia as virtudes da estrutura organizacional descentralizada – DuPont, GM, Sears e GE, por exemplo, foram as primeiras a aderir à descentralização, antes de 1929 –, ao passo que o segundo era um manual minucioso que ensinava quem nunca havia administrado nada a compreender as empresas, a gerenciar pessoas e a definir prioridades.

Anatomia de um talento inato

Para compreender o que Drucker queria dizer com talento inato devemos analisar parte do que ele me disse durante a entrevista.

Ao falar sobre suas próprias habilidades, ele deixou muito claro que, embora tivesse escrito livros sobre administração, ele nunca atuara, *na prática*, como administrador. "Não tenho experiência em negócios" foi uma frase que ele repetiu várias vezes. E acrescentou que, como consultor, não seguia as próprias recomendações: "Como diria qualquer outro consultor, não faça o que eu faço, faça o que eu digo." No entanto, embora nem sempre tenha agido de acordo com os conselhos que dava aos outros, ele escreveu mais de 30 livros ao longo de 60 anos, a maioria sobre administração ou sobre a sociedade, à exceção de dois romances e de sua autobiografia.

Embora sua produtividade como autor de livros de administração fosse evidente, ele insistia em deixar claro que não tinha o DNA de um líder. Era esse paradoxo que ele tinha em mente ao afirmar: "Não consigo gerenciar pessoas", "Sou uma pessoa solitária", "Não consigo contratar nem demitir", "Sou um caso perdido".

Por outro lado, ele descreveu assim o gestor nato a que tanto se referia, depois de observá-lo em ação durante muitos anos: "Sabe alocar pessoas", "É capaz de demitir ou contratar sem envolvimento emocional", "Define prioridades".

E acrescentou que o gestor nato era promovido mais rapidamente que os colegas: "Em qualquer escritório de advocacia em que atue, logo é promovido a sócio-gerente."

Pequena cartilha sobre a "formação" de talentos inatos

Vale a pena observar que a premissa deste capítulo – formar novos talentos inatos – é um paradoxo em si. "Se o gestor é nato, como é possível formar novos talentos inatos?" A resposta se refere, em boa parte, tanto à *seleção* de gestores quanto ao treinamento, ao desenvolvimento e ao acúmulo de experiências adquiridas no trabalho. A seguir, aprofundo um pouco mais as ideias de Drucker sobre o gestor nato:

Sabe "alocar pessoas".

Ele tem senso intuitivo e sabe colocar os profissionais nas posições em que são mais capazes de contribuir para o sucesso da organização. Em geral, essa tarefa é mais difícil do que parece, sobretudo por causa da observação de Drucker de que a administração é uma disciplina social. Alocar pessoas envolve não apenas combinar habilidades e necessidades, mas também escolher posições em que as chances de choques de personalidades e de conflitos de interesses sejam menores.

É capaz de demitir ou de contratar sem envolvimento emocional.

Essa característica é difícil de detectar durante os processos de seleção. Uma maneira de identificar esse atributo é descrever uma situação e perguntar o que o candidato faria em determinadas condições. Você pode, por exemplo, pintar a imagem sombria de um funcionário fictício, com habilidades questionáveis, e perguntar ao pretenso gestor o que ele faria para lidar com o indivíduo problemático. Outra abordagem direta é simplesmente indagar ao ex-chefe dele como o candidato lidava com situações de contratação ou de demissão e qual era o desfecho.

Define prioridades.

Evidentemente, essa qualidade nunca foi tão importante. Vários profissionais e gestores trabalham cinco dias por semana, 14 horas por dia, mas parecem não chegar a lugar nenhum. Promova as pessoas que já deram provas de alcançar as metas e realizar o trabalho. Drucker acreditava que os gestores não tinham condições de lidar com mais de duas prioridades ao mesmo tempo e sabia que ninguém era capaz de fazer malabarismo com mais que duas tarefas importantes simultâneas. Ele incentivava os gestores a fazer uma coisa de cada vez, e, ao concluírem as duas prioridades, afirmava que eles deviam elaborar uma nova lista.

Outros rituais para os talentos inatos

Drucker tinha ideias muito claras sobre o jeito especial dos talentos inatos. Além das três qualidades que relatou durante nossa entrevista, ele já escrevera muito sobre os atributos necessários à gestão eficaz. Conheça suas melhores recomendações:

Os talentos inatos sempre perguntam a si mesmos e aos colegas: "O que preciso fazer para maximizar minha contribuição para a empresa?"
Drucker explicou: "Os gerentes eficazes sempre perguntam a outras pessoas na organização, aos superiores, aos subordinados e, acima de tudo, aos gestores de outras áreas: 'Como posso ajudar você a contribuir ainda mais para o sucesso da organização?'"

Os talentos inatos sabem que fazer a pergunta certa é mais importante do que dar a resposta certa.
Essa é uma afirmação clássica de Drucker. "Pois poucas coisas são tão inúteis – se não tão perigosas – quanto a resposta certa para a pergunta errada. Tampouco basta descobrir a resposta certa. Mais importante e mais difícil é tornar eficaz o curso de ação escolhido. A administração não está interessada no conhecimento em si; ela quer saber de desempenho."

Os talentos inatos compreendem que, quando o mar fica bravo, não adianta marcar reunião para discutir o que deve ser feito.

Em vez disso, eles assumem o controle, definindo o rumo certo e certificando-se de que todos os braços estão remando na mesma direção.

Os talentos inatos sabem que a motivação e a cultura organizacional são responsabilidade deles.

Os gestores eficazes lideram por meio de exemplos, empenhando-se para "fazer o certo", sem se importar com "quem está certo". Esses tipos de crenças devem ser transformados em valores e disseminados por toda a organização.

Quando não se conta com talentos inatos

Drucker passava muito tempo pensando e falando sobre talentos inatos, sobre líderes que não precisavam nem de formação nem de treinamento para gerenciar de maneira eficaz. Até 1870, antes de as grandes empresas surgirem, não era necessário ter muitos gestores. Porém, à medida que o número de grandes corporações se multiplicava, a demanda por gestores se tornou muito maior. Por essa razão, os primeiros livros de Drucker ajudaram a formar executivos importantes para empresas como GE e Hewlett-Packard.

Durante muito tempo não havia gerentes de nível médio. Havia apenas a alta administração e a massa de trabalhadores não qualificados ou semiqualificados. Pierre S. du Pont (1870-1954) criou a gerência intermediária para reter os melhores trabalhadores.

Drucker também se deteve na análise do que denominava "talentos inatos": líderes que sabem colocar os profissionais nas posições em que podem oferecer as maiores contribuições. São indivíduos capazes de contratar e de demitir sem envolvimento emocional. Também sabem definir prioridades e perseverar na execução de uma ou duas prioridades ao mesmo tempo. Os talentos inatos sabem fazer perguntas difíceis e tomar decisões árduas, em especial quando as circunstâncias são desfavoráveis. Também sabem que a motivação e a cultura organizacional são responsabilidade deles.

Capítulo 6
O ideal jeffersoniano

"Tanto na indústria quanto no trabalho relacionado ao conhecimento e no setor de serviços, estabelecer parcerias com o trabalhador responsável é o único caminho."

Desde o início de sua carreira de autor de livros de negócios, Drucker introduziu dignidade na equação gerencial, sem nunca esmorecer. Antes dele, os trabalhadores não eram considerados recursos ou ativos da empresa. Esse foi um dos principais temas das primeiras obras que lançou, constituindo-se em uma importante mudança de rumo em relação à sabedoria convencional das organizações americanas vigente antes da década de 1940.

A democracia jeffersoniana, pautada pelos princípios do terceiro presidente americano, se baseava na representatividade e na defesa dos direitos das pessoas comuns. Thomas Jefferson foi "o homem que definiu o significado dos Estados Unidos", afirmou David N. Mayer, professor de direito e de história da Capital University. E acrescentou que "a filosofia jeffersoniana defende, de forma bem clara, o individualismo, a liberdade e o governo limitado".

No primeiro discurso de posse de Jefferson, em março de 1801, ele se manifestou a favor da "união de esforços em prol do bem comum" e acrescentou que "as minorias têm os mesmos direitos, a serem protegidos pelas mesmas leis, cuja transgressão significa opressão". Ele encorajou, então, seus "concidadãos a se unirem em um só coração e em uma só mente".

Boa parte do primeiro livro de negócios de Drucker, *Concept of the Corporation*, se dedica a argumentos jeffersonianos, em favor da dignidade dos indivíduos, acima da fria "instituição representativa" da época. Ele argumentou: "Se a grande empresa é a instituição social que representa os Estados Unidos, ela precisa se conscientizar das crenças básicas da sociedade americana. Ela deve conferir status e função aos indivíduos, assegurando-lhes a justiça da igualdade de oportunidades. A dignidade e a realização dos indivíduos na sociedade industrial só podem ser proporcionadas pelo trabalho digno e realizador."

Drucker também se referiu à "igualdade" como "fenômeno especificamente dos Estados Unidos, para o qual não se encontra paralelo na Europa e que explica os atributos da sociedade americana, que sempre impressionaram visitantes do exterior". Ele descreve sua percepção desse fenômeno: cordialidade, ausência de inveja, falta de reverência e não submissão aos situados no topo da pirâmide. "Qualquer que seja sua origem, o senso de igualdade influencia todos os aspectos da vida americana e se torna evidente em pequenos detalhes, como a inexistência de elevadores especiais para diretores nos edifícios, e em importantes traços culturais, como o ressentimento profundo contra quaisquer manifestações de arrogância, seja por parte de indivíduos ou países."

Essas palavras são tão pertinentes hoje quanto eram quando Drucker as escreveu, em 1946. Atualmente, os altos executivos são mais acessíveis e se comunicam de maneira mais espontânea, em todos os sentidos, tanto com gestores quanto com profissionais de todos os níveis. E, de fato, constata-se "profunda revolta" quando "indivíduos ou nações demonstram autoritarismo". A maioria das grandes organizações já se livrou de gestores autocráticos e esnobes, que nada fazem a não ser dar ordens e humilhar subordinados. As razões são óbvias: os executivos autoritários realizam muito menos que os líderes inspiradores, cujo estilo é de estreita colaboração e parceria com os membros da equipe e com os demais gestores.

Drucker jamais propôs um ambiente de trabalho democrático, em que os participantes votassem em todas as principais deliberações. Com base em seus estudos sobre Alfred Sloan e a GM, sabia que nada era mais importante para o futuro da empresa do que a capacidade de liderar e de decidir da alta administração, que também é o principal investimento da companhia.

No entanto, a organização da equipe gerencial e o estilo da gestão de pessoas são fatores críticos, argumentou Drucker: "Qualquer instituição precisa ser organizada de maneira a atrair talentos e capacidades, a estimular seus membros a tomar iniciativas, a oferecer oportunidades para que todos demonstrem suas habilidades e seus recursos, a lhes proporcionar um ambiente propício ao crescimento e, finalmente, a recompensá-los na forma de promoções e de progressos sociais e econômicos que de fato premiem a disposição e a capacidade para tomar iniciativas e assumir responsabilidades."

Muitos anos depois, Drucker observou que, "cada vez mais, os insumos de que precisamos não serão oriundos de pessoas e de organizações sob nosso controle, e sim de pessoas e organizações com as quais mantemos relacionamentos e cultivamos parcerias, mas que não estão sob nosso comando".

Durante nossa entrevista, ele se referiu várias vezes a seus alunos e às respectivas carreiras. Não há dúvida de que orientou centenas de estudantes e acompanhou a trajetória deles com muito orgulho. O humanismo presente em seus livros sobre administração não era apenas teoria abstrata: era a própria maneira como vivia, lecionava e orientava aqueles a quem prestava consultoria. Drucker se intitulava o pior gestor do mundo, porém, caso tivesse ocupado algum cargo gerencial em uma grande organização, teria tratado todos os funcionários com dignidade. Ele também tinha outra qualidade indispensável aos grandes gestores: era mais humilde que qualquer outra pessoa que eu tenha conhecido.

A história aos olhos de Drucker

Para aprender como Drucker escreveu – e reescreveu – as regras da gestão, é importante compreender os modelos gerenciais predominantes na década de 1940, época em que ele lançou seu primeiro livro.

Durante nossa entrevista, ele deu uma aula sucinta, mas abrangente e cativante, sobre a história da administração. Como era seu hábito nos próprios livros, ele não hesitava em fazer referência a seus predecessores, cujas filosofias e ideias prepararam o palco para sua entrada em cena.

Ele não poupou elogios a uma das pioneiras da administração que chamou a atenção para os aspectos humanos do trabalho: "Mary Parker Follett (1868-1933) também teve grande importância, mas ela foi totalmente esquecida", afirmou Drucker. "Na verdade, ela foi descartada, não apenas esquecida. Suas ideias eram tão diferentes da mentalidade predominante na década de 1930, marcada pela hostilidade e pelo antagonismo, que a importância que ela deu à solução de conflitos era simplesmente inaceitável", declarou ele.

Mary defendia o conceito de "poder com", em vez do "poder sobre", e cunhou expressões como "autoridade e poder" e "solução de conflitos". Ela acreditava que as organizações eram "redes de grupos", ao contrário de autocracias hierárquicas. Talvez por isso Drucker a tenha chamado de "profetisa da administração".

Entretanto, a figura mais influente e controversa do início do século XX foi Frederick Taylor (1856-1915), engenheiro americano considerado o pai da administração científica.

Taylor começou com algo que chamou estudos de tempos e movimentos, que consistia em estudar e cronometrar as tarefas de cada trabalhador, até em frações de segundos. Ele afirmava que podia determinar "a melhor maneira" de executar qualquer atividade. O ponto de partida foi a observação de trabalhadores removendo areia com pás. Antes de Taylor, as pás eram produzidas e manipuladas sem qualquer sistematização e seu tamanho e formato não obedeciam a normas. Ele então definiu que a carga ideal por pá era de mais ou menos 10 quilos de areia e projetou ferramentas para levantar exatamente essa quantidade, aumentando a eficiência dos trabalhadores.

Drucker assim resumiu a principal contribuição do precursor do taylorismo: "Taylor aplicou às operações manuais os princípios que os projetistas aprenderam, durante o século XIX, ao desenvolver máquinas e ferramentas. Dessa forma, ele identificava o trabalho a ser realizado, desdobrava-o em sucessivas atividades, definia a maneira mais eficiente de executar cada tarefa e, por fim, integrava cada etapa na sequência mais adequada, levando em conta tanto a velocidade quanto os custos. Taylor aplicou conhecimentos sistemáticos para aumentar a produtividade dos trabalhadores manuais", concluiu Drucker.

O livro *Princípios da administração científica*, de Taylor, foi publicado em 1911 e influenciou muitas pessoas, entre elas Henry Ford. Ele propôs a Taylor executar estudos de tempos e movimentos a fim de racionalizar sua linha de montagem, que produziu 15 milhões de carros Modelo T pretos, todos idênticos, entre 1908 e 1927.

O francês Henri Fayol (1841-1925), que presidia uma mineradora de carvão, é outro pioneiro da administração que costuma ser associado a Taylor. Drucker atribui a esse teórico o mérito de ter sido o primeiro a compreender a necessidade de estrutura nas organizações. Seus 14 princípios da administração, que incluíam conceitos como "autoridade" e "unidade de comando", tiveram grande repercussão na Europa e nos Estados Unidos.

Taylor e a administração científica tiveram um papel fundamental e exerceram os efeitos mais difundidos e duradouros sobre as atividades relacionadas a toda a cadeia de produção no século XX. Hoje, a maioria dos compêndios introdutórios da área dedica várias páginas à administração científica de Taylor e aos 14 princípios de Fayol, muito mais do que o espaço destinado às teorias desenvolvidas por Drucker - este é objeto, quando muito, de algumas linhas ou de uma nota de rodapé num livro acadêmico. Tem sido assim há décadas, o que nos leva a pensar como serão os compêndios de administração daqui a um século.

No fim da década de 1950, Drucker observou, no entanto, que nesses modelos desbravadores "a administração era vista mais como resultado do que como causa, e como resposta a necessidades, em vez de como criação de oportunidades".

Os limites da mentalidade de linha de montagem

Apesar de suas realizações, Taylor viria a ser criticado por várias de suas ideias, em especial por aquelas que diminuíam o valor e a dignidade das pessoas. Sua obra atribuía mais importância às frações de segundos que às ideias e aos valores dos trabalhadores, que ele chamava "ajudantes". Não havia o que hoje se conhece por "habilidades para desenvolver e executar atividades", argumentava Taylor. Como o trabalho era sempre o mesmo e todos os trabalhadores eram iguais, qualquer indivíduo capaz podia ser ensinado a ser "mão de obra de primeira categoria".

Por causa dessas ideias impopulares, Taylor também seria desprezado pela elite acadêmica, à exceção dos autores de compêndios gerenciais mais recentes. A noção de que a habilidade não importava era, em essência, "antiamericana". É difícil imaginar uma crença mais impopular nos Estados Unidos, país que valoriza os vencedores acima de tudo. E as críticas a Taylor não eram feitas apenas pelos acadêmicos. Como observou Drucker, até o comediante Charlie Chaplin zombou das falhas e imperfeições das linhas de montagem em seu filme *Tempos modernos*.

De acordo com David Montgomery, professor de história da Universidade de Yale, "Taylor não era charlatão, mas sua mensagem ideológica exigia que fosse ignorada qualquer manifestação de ideias próprias por parte dos trabalhadores – ou de quaisquer motivações ou aspirações humanas, a não ser as que estivessem de acordo com sua visão de progresso". Por essa razão Drucker considerava a mentalidade de linha de montagem antagônica a tudo o que mais prezava, desde o pensamento autônomo até o moral da força de trabalho.

Drucker, por outro lado, mudou o foco e a abordagem. *Concept of the Corporation* defendeu, de maneira contundente, a humanização do ambiente de trabalho e expressou com veemência sua oposição ao modo automático e rotineiro de realizar as tarefas.

A mentalidade de linha de montagem "priva os trabalhadores de satisfação", afirmou Drucker. Ele também argumentou que os trabalhadores de linha de montagem mais "eficientes" eram mais "máquinas" e menos "humanos" que os colegas. Isso parece óbvio hoje, mas não era assim tão evidente numa época em que a linha de montagem era a melhor modalidade de produção em massa. O ponto de vista de Drucker representava uma mudança significativa em relação às perspectivas dos teóricos da administração da época.

É lamentável que uma obra que humanizou o local de trabalho tenha sido desprezada pela elite acadêmica. Segundo John

Micklethwait e Adrian Wooldridge, editores da revista *The Economist*, o livro *Concept of the Corporation* "isolou ainda mais Drucker dos acadêmicos americanos: os economistas o consideravam um sociólogo banal e os cientistas políticos o descartavam como um economista ensandecido". Isso explica por que a carreira acadêmica de Drucker saiu dos trilhos logo no começo.

O melhor dos primeiros livros escritos por Drucker é a consciência sempre presente de que as organizações são instituições sociais compostas não de engrenagens, como as linhas de montagem de Taylor, mas de pessoas, com necessidades, objetivos e forças.

O argumento de Drucker de que a administração é "prática" e "disciplina social", mas não "ciência", mudaria o curso da gestão como área de conhecimento.

Ele também foi um dos primeiros a escrever sobre a importância do moral nas organizações. Em *A prática da administração de empresas*, afirmou: "Falamos de 'liderança' e de 'espírito' da empresa, mas a liderança é exercida pelos gestores e o espírito da empresa é a própria mentalidade do grupo gerencial."

Responsabilidade sempre foi parte importante da equação gerencial de Drucker: "Não importa se o trabalhador quer ou não assumir responsabilidade. A organização deve imbuí-lo da noção de responsabilidade. A empresa precisa garantir desempenho, e, como já não pode explorar o medo, a única maneira de que dispõe para melhorar os resultados é por meio da motivação, do estímulo e, se necessário, da imposição da responsabilidade."

Não deixe de perguntar "O que fazer?"

O australiano George Elton Mayo (1880-1949) foi psicólogo, sociólogo e professor de pesquisa industrial da Universidade

Harvard de 1926 a 1947. Entre seus trabalhos, destaca-se o famoso Estudo de Hawthorne, baseado na obra da teórica Mary Parker Follett. Realizado entre 1927 e 1932, esse estudo demonstrou que os trabalhadores que sabiam estarem sendo analisados apresentavam melhores níveis de desempenho que aqueles que não estavam sendo observados. Tanto Mayo quanto Mary acreditavam que omitir o lado humano da administração era um erro grave dos modelos gerenciais da época. Mayo depois se destacaria como o pai do movimento das relações humanas.

No entanto, como observou Drucker, nenhum dos teóricos das relações humanas avançou o suficiente: "Quando Frederick Taylor começou o que depois ficaria conhecido como administração científica, nunca lhe ocorreu indagar: 'Qual é a tarefa? Por que executá-la?' Tudo o que ele perguntou foi: 'Como realizá-la?' Quase 50 anos depois, Mayo deu início à desconstrução da abordagem da administração científica, para substituí-la pelo que veio a ser chamado de movimento das relações humanas. Porém, como Taylor, ele nunca perguntou: 'Qual é a tarefa? Por que executá-la?' Raramente se questionam as tarefas em si."

Antes de Drucker, a administração era uma disciplina unidimensional. Os teóricos estavam preocupados com a melhor maneira de produzir, não com o que produzir ou não. O confronto entre administração científica e relações humanas se resumia ao debate sobre *como* fazer algo melhor, não em *o que* fazer. Mas, para Drucker, que via a administração como prática, não como ciência, o que fazer era pelo menos tão importante quanto como fazer.

Essa é a essência de Drucker. Um de seus maiores dons era o fato de questionar todas as premissas e abandonar as que já não fossem relevantes. Evidentemente, a estratégia era o campo de ação da administração. Alfred Sloan superou Henry Ford, na década de 1920, com base em melhor estratégia de segmentação.

A propósito, Drucker não era fã de Ford. Para ele, aquele grande empreendedor não geria bem sua companhia por não acreditar nos próprios gestores.

O imperativo da parceria

Antes da Segunda Guerra Mundial, a alta administração nunca perguntava aos trabalhadores sobre as tarefas que executavam ou sobre como poderiam realizá-las melhor. Frederick Taylor presumia que tanto os gestores quanto os trabalhadores eram como "gado aparvalhado". George Elton Mayo demonstrava mais respeito pelos gestores, mas considerava os trabalhadores "imaturos" e "desajustados" e achava que sem a orientação de psicólogos dizendo-lhes o que fazer eles não saberiam como agir.

No entanto, como observou Drucker, a Segunda Guerra Mundial mudou as regras do jogo. Na falta de supervisores, de engenheiros e de psicólogos que lhes indicassem o que e como fazer, pois muitos haviam sido convocados para o serviço militar, Drucker e seus colegas não tiveram escolha a não ser conversar diretamente com cada um dos trabalhadores. Ele reconheceu que ficou muito surpreso com o que os trabalhadores lhe disseram. Não eram nem "imaturos" nem "desajustados", como Mayo havia declarado. Ao contrário, tinham senso muito nítido do que faziam e de como poderiam fazer melhor. O fundamental era envolver ou engajar os trabalhadores, "perguntando-lhes como melhorar a produtividade e a qualidade", explicou Drucker.

E os tempos estavam mudando rapidamente. "Durante 25 anos, desde o término da Segunda Guerra até o fim da década de 1960, o surto da administração varreu o mundo inteiro e a gestão se converteu em área de interesse e de preocupação", relatou ele.

A IBM foi uma das primeiras grandes empresas a aceitar o pressuposto de que seus funcionários eram as pessoas que melhor conheciam o trabalho e sabiam como executá-lo com mais produtividade e qualidade. *Pense* era o mote pioneiro da Big Blue, gravado em uma grande placa colocada sobre a porta da Escola IBM, em meados da década de 1930. As outras palavras de boas-vindas aos funcionários da empresa que entravam na escola eram OBSERVE, DISCUTA, OUÇA e LEIA, mas o lema PENSE estava presente, em destaque, em todas as salas, conforme determinação de Thomas J. Watson, presidente da organização.

Mais tarde, nas décadas de 1950 e 1960, as companhias japonesas seguiram o exemplo, induzindo seus gestores a desenvolver relacionamentos mais estreitos com o pessoal.

Talvez até fosse possível não se comunicar com os trabalhadores das linhas de montagem, na qual cada tarefa era predeterminada. No entanto, à medida que o trabalho se tornava cada vez mais complexo e os trabalhadores do conhecimento passavam a predominar nas organizações, a administração precisava promover o envolvimento crescente do pessoal. "Nas atividades especializadas e no setor de serviços, a parceria com os trabalhadores é a única solução. Nada mais dará certo", escreveu Drucker.

Mais tarde, ele escreveu que, na era da informação, a parceria com os trabalhadores e o desenvolvimento de relações de trabalho mais estreitas era mais fundamental que nunca: "Será cada vez mais importante que as pessoas se reúnam e de fato interajam umas com as outras, de maneira organizada, sistemática e programada. A troca de informações a longa distância não substitui o contato direto, face a face. Na verdade, as telecomunicações tornam os relacionamentos pessoais mais importantes, pois, por meio deles, as pessoas desenvolvem confiança mútua e maior sensibilidade quanto ao que esperar umas das outras. E isso significa tanto informações sistemáticas, em especial sobre mudanças, quanto relacionamentos diretos programados, ou seja, oportunidades para que as pessoas se conheçam e se compreendam."

O melhor modelo atual de uma grande organização que forma parcerias com os funcionários é a GE de Jack Welch. Como ele começou a ler Drucker no fim da década de 1970, não é de surpreender que algumas de suas melhores iniciativas talvez tenham sido inspiradas pelo pioneiro da administração. Observe, por exemplo, a exatidão com que as palavras de Welch ecoam as de Drucker:

> "Os funcionários sabem muito sobre o trabalho que estão executando, sua lógica e seu ritmo", escreveu Drucker.
>
> Mais tarde, Welch afirmou: "Aqueles funcionários que de fato realizam o trabalho têm algumas ideias excelentes sobre como fazer melhor as coisas."

A confiança de Welch nas pessoas foi um dos fatores que proporcionou a criação do programa Work-Out, que ele começou a implementar depois de descobrir, no fim da década de 1980, que gestores elitistas da empresa não ouviam os funcionários. Foi quando, desesperado, oficializou o engajamento da força de trabalho pela administração da empresa.

No Work-Out, a hierarquia é invertida de ponta-cabeça, em um evento que dura dois ou três dias, inspirado nas reuniões comunitárias municipais da Nova Inglaterra. A ideia subjacente ao programa é que todas as pessoas da organização têm boas ideias, mas precisam de uma plataforma para expressá-las com clareza. "Se você supervisiona duas pessoas e as obriga a fazer o que diz, eu me livro de você e mantenho as duas pessoas. Se houver três pessoas, quero três ideias. Se você se limitar a dar ordens, terei apenas as suas ideias. Por isso prefiro escolher entre as ideias de três pessoas", explicou Welch.

Nos anos recentes, Drucker se aprofundou nos temas delegação de autoridade e formação de parcerias com trabalhadores do conhecimento. Numa entrevista a Elizabeth Haas Edersheim, autora de *A essência de Peter Drucker*, ele afirmou que, ao delegarem, os gestores devem resistir aos impulsos de reassumir as tarefas, mesmo que o subordinado cometa erros. Desde que não estejam fazendo algo antiético ou ilegal, as pessoas devem ter autonomia, a não ser que peçam ajuda. "Deve-se assumir esse risco, quando se pretende que elas tomem os próprios rumos", disse.

Drucker levou ao extremo o tema da parceria, ao acrescentar: "Quem não se sentir à vontade com a ideia de outorgar poder aos subordinados para demitir o próprio chefe não estará preparado para a função de liderança no próximo século."

O que mais se pode fazer para facilitar a implementação do princípio da parceria de Drucker? Tente o seguinte:

- **Mantenha as pessoas envolvidas.**
  Em ambientes de trabalho mais democráticos, todos têm acesso à informação. Todos querem saber o que está acontecendo no "andar de cima" – e você é a melhor ligação de seu pessoal com o restante da organização. Nada é pior do que um departamento de almas perdidas, que não têm ideia de como estão indo a empresa e a parte de cada um no todo.
- **Antes de distribuir tarefas ao pessoal, peça que cada um defina as próprias atribuições.**
  Ao receberem informações sobre os próprios objetivos, as pessoas se tornam mais propensas a aceitá-los e a se empenhar em realizá-los.
- **Reúna-se periodicamente com sua equipe, para explicar a cada um como ele se enquadra na organização.**
  Todos querem saber como seus esforços se encaixam no panorama geral. Reuniões quinzenais, em ambiente informal,

durante o almoço ou em outro momento, lhe oferecem a oportunidade de conversar com a equipe sobre como os esforços do grupo e de cada um contribuem para o bem-estar geral da empresa.

- **Envolva seus subordinados diretos em diálogos informais frequentes e forneça-lhes feedback franco.**

  Crie condições para que seu pessoal saiba como está indo. Leve-os para tomar um café fora do ambiente de trabalho e comece dizendo o que estão fazendo melhor. Ao conversar com cada um sobre os aspectos positivos e negativos do próprio desempenho, em comparação com os objetivos, você lhes estará oferecendo o tipo de feedback que todos desejam receber.

O ideal jeffersoniano

A visão de Drucker da empresa e de suas relações com os funcionários e com a sociedade desencadeou mudanças radicais. Os trabalhadores não eram apenas custos ou engrenagens. "Todos, desde o chefe até o faxineiro, devem ser considerados igualmente necessários para o sucesso do empreendimento. A grande empresa precisa garantir igualdade de oportunidades de promoções." Porém, ainda hoje, 60 anos depois de Drucker ter descrito esses ideais, muitos funcionários e gestores ainda se consideram custos e engrenagens, em vez de recursos e pessoas.

Ele deixou claro que os trabalhadores do conhecimento precisavam se concentrar nas tarefas-chave que mais contribuíam para o sucesso da organização e "eliminar o restante". As pessoas mais eficazes sabem o que deve ser feito, definem prioridades e abandonam o que é irrelevante. Seus gerentes podem ajudá-las, perguntando-lhes: "Qual é sua maior prioridade? Qual deve ser sua contribuição? O que o impede de executar sua tarefa e como o obstáculo pode ser eliminado?" A última pergunta é vital.

Nos atuais ambientes de trabalho frenéticos, com enxurradas de e-mails, telefonemas e reuniões, saber o que *não* se deve fazer é meio caminho andado. Os talentos inatos fazem isso de maneira intuitiva. No entanto, os gestores devem conversar sobre essas questões com seu pessoal o tempo todo. Ajudar um de seus subordinados diretos a se livrar da burocracia ou a excluir tarefas inúteis pode liberá-lo para se dedicar a oportunidades importantes para o desenvolvimento da empresa.

Capítulo 7
Descarte tudo, menos o futuro

> "Uma pergunta essencial para os líderes é: 'Quando parar de destinar recursos ao que já alcançou os objetivos?' As armadilhas mais perigosas para os líderes são os quase-sucessos, quando todos dizem que bastará mais um empurrão para se chegar lá."

ESTE CAPÍTULO DESCREVE o que considero uma das estratégias típicas de Drucker e mostra como ele colocava em prática o que ensinava. Ele me disse que, depois de entregar seus manuscritos às editoras, nunca mais os lia de novo. Quando tinha uma nova ideia, ele simplesmente escrevia um novo livro. O mesmo ocorria com as escolhas que fazia na vida. A carreira dele consistiu principalmente em descartar o passado para dar espaço ao futuro. Ele recusou prestigiosas oportunidades de lecionar em Harvard e em Stanford, mas nunca olhou para trás.

E jamais se envaideceu pelas glórias do passado. Não se encontravam troféus de suas realizações nas paredes e prateleiras de sua casa, ao menos que pudessem ser vistos pelos visitantes. O que importava para ele era abraçar novos desafios.

Drucker me disse que lamentava apenas uma coisa: um livro que não havia escrito. "O melhor livro que não escrevi seria intitulado *Administração da ignorância*. Teria sido maravilhoso, mas muito difícil." Ele começara a escrevê-lo, mas nunca o terminou. Seria diferente das demais obras de Drucker, pois destacaria todos os erros que induzem os gestores a se concentrar nos pontos fracos, em vez de nos fortes. Talvez essa tenha sido a razão para jamais tê-lo concluído.

O descarte não é algo estimulante

Peça aos fãs mais fervorosos de Drucker que listem três das mais importantes ideias dele e é improvável que mencionem o conceito de descarte consciente. Ele não é tão cativante quanto a Lei de Drucker ("Só existe uma definição válida do propósito das empresas: criar clientes") ou a administração por objetivos, abordagem que conquistou grande popularidade nas décadas seguintes à Segunda Guerra Mundial.

O descarte consciente também não é dos conceitos mais impressionantes a ser abordado em reuniões gerenciais. Poucos gestores se gabam de terem abandonado um produto ou uma ideia. No entanto, as decisões sobre descarte desobstruíram o caminho para alguns dos produtos mais bem-sucedidos da história.

Porém, em razão do que Drucker denominou investimento no ego gerencial, os gestores costumam resistir aos descartes, por se tratar de algo que contraria o que aprenderam durante toda a sua carreira: aumentar os lucros a qualquer custo. O lucro, entendido como o aumento da receita e a redução das despesas, é a alma da empresa. O descarte de uma linha de produtos parece, à primeira vista, comprometer vendas e lucros. No entanto, trata-se de uma percepção incorreta, sobretudo no longo prazo.

Drucker afirmou que vários gestores se mantêm presos ao passado durante muito tempo, o que afeta os resultados. Não raro, as empresas se apegam aos negócios lucrativos até que os concorrentes as ultrapassem no mercado. "Quem não é capaz de descartar o passado está condenado à insignificância", insistiu ele.

O primeiro passo na trajetória do crescimento

Conforme observou Drucker, "o primeiro passo na trajetória do crescimento não é decidir onde e como crescer. *É definir o que descartar.* Para crescer, as empresas devem adotar a política sistemática de se livrar dos excessos, do obsoleto e do improdutivo".

Não descartar ideias e/ou produtos ultrapassados foi a causa de alguns dos maiores fiascos de todos os tempos. No começo da década de 2000, por exemplo, tanto a Ford quanto a GM colocaram em prática, de maneira agressiva, a estratégia de produzir volumes crescentes de veículos esportivos que consumiam muito combustível, apesar da intensa preocupação com o meio ambiente e do aumento contínuo dos preços da gasolina. A Toyota, ao contrário, se concentrou no desenvolvimento de carros híbridos, como o Prius, acessíveis ao grande público. Os líderes da empresa sabiam que os veículos híbridos eram fundamentais para a redução das emissões de carbono e para a diminuição do consumo de combustíveis e estavam dispostos a aceitar margens de lucro mais baixas para se tornarem líderes nesse mercado próspero.

O Prius, primeiro veículo híbrido da Toyota, foi lançado no Japão em 1997 e em 2001 no restante do mundo. O novo carro foi um grande sucesso desde o começo e conquistou vários prêmios, entre os quais os de Carro do Ano do Japão, em 1997-1998, Carro do Ano da América do Norte, em 2004, e Carro do Ano da Europa, em 2005.

Os resultados foram espetaculares e superaram as previsões 10 anos antes. O Prius desempenhou papel importante em elevar a Toyota à liderança mundial das empresas automobilísticas – posição ocupada pela GM nos últimos 70 anos –, enquanto esta e a Ford continuavam a acumular prejuízos.

Em dezembro de 2006, o diretor executivo da Ford, Alan Mulally, foi ao Japão se encontrar com o presidente do conselho de administração da Toyota, Fujio Cho, em busca de orientações sobre como racionalizar as operações de fabricação da Ford. No entanto, os problemas da montadora não se restringiam às atividades operacionais.

A incapacidade das montadoras americanas de abandonar os antigos negócios lucrativos lhes custara muito caro. De acordo com Drucker, "deve-se abandonar o ganha-pão de ontem antes do que se *deseja*, porém jamais antes que se *seja obrigado*". A indústria automobilística dos Estados Unidos obviamente não ouviu o conselho de Drucker, embora ele o tenha oferecido pela primeira vez em 1964.

Por não terem desenvolvido veículos híbridos antes, as montadoras americanas perderam uma oportunidade de ouro. Se a GM, a Ford e a Chrysler tivessem deslocado alguns recursos dos veículos esportivos mais dispendiosos para os veículos híbridos mais econômicos, talvez não tivessem caído num buraco tão profundo. Sem dúvida, já havia indícios de que o mercado automobilístico estava passando por mudanças fundamentais. Ouve-se falar sobre alternativas aos combustíveis fósseis tradicionais desde a década de 1970 e os debates se tornaram mais acalorados na década de 1990.

Os gestores mais eficazes aprendem a interpretar as condições do mercado e a preparar suas organizações para explorar novas oportunidades criadas pelas novas realidades.

Drucker explica: "A maximização das oportunidades mostra como guiar a empresa do ontem para o hoje, preparando-a, assim, para os novos desafios do amanhã. Dessa maneira, identificam-se as atividades que devem ser impulsionadas e as que devem ser descartadas. E ainda se abre caminho para as inovações que multiplicarão os resultados no mercado ou no repertório de conhecimentos da empresa."

O manual do mês passado já está obsoleto

Um dos segredos por trás do grande sucesso da Toyota é sua tradição profundamente arraigada de sempre buscar melhores maneiras de fazer as coisas, um traço cultural entranhado na organização, segundo o qual todos são ensinados a abandonar os métodos estabelecidos em busca de abordagens inovadoras.

O fundador da Toyota, Sakichi Toyoda, foi um inventor autodidata que constituiu a empresa não para produzir carros, mas com o intuito de fabricar teares melhores para as mulheres que trabalhavam na tecelagem. Ele era o que Drucker denominava *talento inato*, na medida em que sempre procurava métodos mais eficazes. Sua primeira patente de tear foi concedida em 1890 e ele acabaria sendo titular de mais de uma centena de outras patentes, tornando-se um inventor de classe mundial e equiparando-se a Thomas Edison e a Henry Ford.

Os cinco preceitos fundamentais da Toyota, fundada em 1935, até hoje norteiam a organização. Um deles é: "Os trabalhadores devem estar à frente de seu tempo, cultivando a criatividade, a curiosidade e o autoaprimoramento constantes."

Melhoria e descarte são dois lados da mesma moeda. Para melhorar, é preciso abrir mão do que não funciona tão bem e promover o que funciona melhor.

Taiichi Ohno, ex-vice-diretor executivo e peça-chave do sistema de fabricação que é marca registrada da Toyota, afirmou: "Algo estará errado se os trabalhadores não olharem ao redor todos os dias, não descobrirem coisas tediosas ou inadequadas a serem descartadas e, assim, não reformularem o procedimento. Até mesmo o manual do mês passado já está obsoleto."

Outros gestores reconheceram que o método patenteado da Toyota, o Sistema de Produção Toyota (também conhecido como TPS, na sigla em inglês), merecia atenção. Empresas tão variadas quanto a fabricante de equipamentos agrícolas John Deere e a gigante do varejo Wal-Mart analisaram e estudaram o TPS e o aplicaram parcialmente em suas organizações.

Como algo inerente ao TPS, destaca-se o compromisso duradouro da empresa com o *kaizen*, ou a melhoria contínua. O fator crítico da melhoria contínua é o desenvolvimento de pessoas que sempre buscam eliminar o *munda*, ou desperdício, da organização. Evidentemente, todas as empresas querem aprimorar seus produtos e processos. No entanto, de acordo com o livro *O segredo da Toyota*, de David Magee, "há uma nítida diferença entre aplicar o sistema de produção como mera ferramenta de fabricação e abraçá-lo como princípio norteador da vida e do trabalho".

A melhoria contínua é evidente em todas as fábricas da Toyota, nas quais todos os trabalhadores têm poderes para "parar as máquinas" ao primeiro sinal de problema. Os funcionários da empresa são encorajados a puxar uma corda que interrompe a linha de montagem ao se defrontarem com problemas de qualidade ou de segurança. No sistema Toyota, eles não são punidos por parar a linha de montagem; na realidade, o que acontece é o oposto. O problema é *não* interromperem a produção ao constatarem alguma irregularidade. Eis por que, em geral, puxa-se a corda várias vezes por dia, todos os dias, em qualquer fábrica da empresa.

Na Toyota, a filosofia de melhoria contínua e de descarte do obsoleto não se limita ao chão da fábrica. E é nesse ponto que a maioria das empresas erra. As organizações que não aplicam os mesmos princípios do *kaizen* a outras esferas do negócio em geral não colhem bons frutos da iniciativa. Na Toyota, é possível ver as marcas do sistema de fabricação em quase todos os aspectos da organização.

De acordo com Jim Press, ex-presidente da Toyota Motors North America, "a fábrica é o lugar em que o sistema de produção patenteado é mais visível e mais notório. Mas os elementos e a essência por trás desses princípios estão em todos os lugares, desde os serviços de manutenção nos revendedores do Lexus até o pessoal de segurança nas dependências da Toyota Motors Sales, em Torrance, na Califórnia".

Outra característica importante da cultura da montadora é conhecida como os "Cinco Por Quês", método usado nas unidades de produção para facilitar a identificação das causas básicas de um problema. O pressuposto é que apenas poucas perguntas não são suficientes para se chegar à fonte do problema.

O método se tornou popular na década de 1970, quando outras empresas começaram a estudar e a copiar os procedimentos da Toyota. Depois a ideia básica subjacente aos "Cinco Por Quês" evoluiu para métodos mais sofisticados, como o Seis Sigma, programa de qualidade com forte base estatística desenvolvido originalmente pela Motorola e depois popularizado pela GE. Os "Cinco Por Quês" são outra ferramenta que a Toyota usava para descartar o obsoleto e encontrar processos mais eficientes.

Em 2007, na lista das empresas mais admiradas da *Fortune*, a Toyota era a terceira nos Estados Unidos e a segunda em todo o mundo, depois de subir seis posições em relação ao ranking de 2006. Sem dúvida, a tendência da Toyota de se concentrar no futuro e de deixar o passado para trás foi fator importante para o sucesso da empresa.

Descarte e realidade

Alguns gestores descartam o passado com mais rapidez que outros. Os que têm maior dificuldade em se livrar do obsoleto geralmente são os menos capazes de enfrentar a realidade. Durante seis anos, o Dr. Sydney Finkelstein, autor de *Por que executivos inteligentes falham*, realizou um estudo e identificou as duas principais causas do fracasso dos gestores, e descobriu que ambas estavam diretamente relacionadas com a incapacidade de enfrentar a realidade.

De acordo com o estudo, as organizações cometem os erros mais graves quando a mentalidade dos altos executivos compromete a percepção da realidade pela empresa. A segunda contribuição mais comum para o fracasso dos executivos envolve "atitudes de delírio que preservam a percepção inadequada da realidade".

Talvez isso explique por que "Enfrente a realidade" era a primeira regra de Jack Welch. Na GE, a todo momento ele repetia esse mantra, que lhe era tão útil na hora de tomar as decisões difíceis que lhe renderam, entre outros, o epíteto de Executivo do Século, conferido pela revista *Fortune*.

Os primeiros 10 anos de Welch como CEO da GE são um verdadeiro estudo de caso sobre o descarte consciente. Ele liquidou 117 negócios que não se enquadravam em sua nova visão da empresa. Em 1984, por exemplo, descartou a GE Housewares, a divisão que fabricava produtos como torradeiras e secadores de cabelo e era a mais popular entre as famílias americanas. Quando lhe perguntaram como ele podia vender um pedaço dos Estados Unidos a estrangeiros, Welch respondeu sem pestanejar: "O que será melhor produzir no ano 2000: torradeiras ou tomógrafos computadorizados?"

Essa pergunta se inspira no teste clássico de Drucker, que prevê os seguintes questionamentos: Se já não estivéssemos neste negócio, entraríamos nele agora, sabendo o que sabemos? Se a resposta for negativa, a organização deve se perguntar: E o que fazer agora? É preciso fazer algo que não seja apenas outro estudo.

Esse teste apareceu pela primeira vez em *Post-Capitalist Society* (Sociedade pós-capitalista), como uma variação de perguntas semelhantes que Drucker já havia feito sobre a entrada em novos mercados. Convencido de que havia apenas uma maneira de as organizações serem bastante disciplinadas para lidar com essa questão-chave, Drucker chegou à seguinte conclusão na primeira metade da década de 1990: "Hoje, todas as organizações devem embutir na própria estrutura a capacidade de *administração da mudança*. Também é preciso cultivar a firme disposição para o descarte organizado de tudo. Cada vez mais, as empresas terão de *planejar* o descarte, em vez de tentar prolongar a vida de políticas, práticas e produtos que tiveram sucesso no passado, algo que, por enquanto, só foi enfrentado por poucas companhias japonesas."

Esses questionamentos propostos por Drucker se transformam em poderosa ferramenta de negócios, quando feitos por gestores que tratam com seriedade o descarte do obsoleto. Se suscitar reações honestas, a resposta iluminará o caminho, mostrando aos gestores que mercados ou negócios descartar. Os fatores críticos são garantia de que a administração enfrente a realidade e que a empresa desenvolva um plano estratégico específico, que a mantenha focada no que faz de melhor. Eis a explicação de Drucker: "A estratégia permite que a instituição seja deliberadamente oportunista. Se o que parece ser oportunidade não promove o objetivo estratégico da instituição, não é oportunidade, mas distração."

De que outras maneiras é possível ter a certeza de que se está na vanguarda, descartando o obsoleto? Considere o seguinte:

- **Descarte os maus executores e os que não põem em prática os valores da organização.**

  Não são apenas produtos e processos que podem ser descartados. Jim Collins, autor de *Empresas feitas para vencer*, explicou que a mais alta prioridade do gestor é estar cercado das pessoas certas e se ver livre das erradas. Décadas antes, Drucker defendera a demissão de qualquer pessoa, principalmente se se tratasse de um gestor que não desse bons exemplos: "A permanência dessas pessoas corrompe as outras. É muito injusto com toda a organização", escreveu ele.
- **Descarte "os negócios lucrativos" quando começarem a dar sinais de decadência.**

  Drucker incentivava os gestores a aplicar a maior parte dos recursos da empresa em "grandes oportunidades", em produtos ou em linhas de produtos capazes de "pagar seus custos muitas vezes". Ele explicou que "os perdedores devem se virar com o que já têm, ou com menos. Devem ser 'ordenhados'. Enquanto produzirem resultados, serão mantidos, desde que se extraia o máximo deles. No entanto, não serão 'alimentados'. E, assim que começarem a definhar, devem ser sacrificados".
- **Treine os subordinados diretos para praticar o descarte consciente.**

  Você não conseguirá fazer isso sozinho. Será preciso contar com aqueles que atuam mais próximos do mercado – e dos clientes – para que, o tempo todo, busquem e identifiquem os produtos ou as linhas de produtos em declínio. Ao mesmo tempo, deve ser solicitado a eles que contribuam com ideias capazes de levar às oportunidades e às inovações de amanhã.

Descarte tudo menos o futuro

O descarte consciente é um dos conceitos-chave para compreender Drucker, pois se trata de elemento fundamental de sua própria essência. Ele envolve, por exemplo, a disciplina de fazer sempre a pergunta certa. "Quando você supõe que tem todas as respostas, deixa de fazer perguntas", afirmou Drucker.

Ele nunca parou de fazer as perguntas certas e sempre incentivou os gestores a questionar todas as premissas, desde a mais elementar. Drucker escreveu, por exemplo: "Nada pode parecer mais simples e mais óbvio que responder qual é o negócio da empresa. Na verdade, 'Qual é o nosso negócio?' quase sempre é uma pergunta difícil, que pode ser respondida apenas depois de muita reflexão e estudo. E a resposta certa, em geral, não é nada óbvia." Definir o negócio envolve decisões difíceis sobre de quais mercados sair e em quais entrar, que áreas reforçar e quais abandonar. Por fim, nenhuma organização é capaz de descartar o passado efetivamente se não atribuir a "alguém da alta administração a tarefa específica de trabalhar com o futuro, como empreendedor e inovador".

Capítulo 8

Exame dos pontos fortes

"Em especial na área do conhecimento, a formação das equipes deve levar em conta os pontos fortes de cada profissional, e isso significa empenho constante em alocar os trabalhadores em funções nas quais gerem resultados e deem contribuições."

NA SEGUNDA METADE DA década de 1990 e no começo dos anos 2000, milhares de páginas foram escritas por autores de renome exaltando as virtudes de desenvolver líderes e construir organizações com foco nos pontos fortes.

No entanto, décadas atrás, muito antes de alguma outra pessoa escrever sobre o tema, Drucker já deixara claro que todos os gestores responsáveis tinham o dever de se concentrar nos pontos fortes: "Nada destrói com mais rapidez o espírito da organização que focar nos pontos fracos, em vez de nos fortes, ou que se basear nas incapacidades, em vez de nas capacidades. *A atenção deve convergir para os pontos fortes. O maior erro é tentar construir sobre os pontos fracos*", afirmou Drucker.

Tudo isso parece lógico e até intuitivo. Mas a maioria dos gestores de hoje passa boa parte do tempo tentando consertar os pontos fracos, em vez de explorar os fortes. Na verdade, muitas organizações de grande porte não só estimulam esse comportamento, mas também o institucionalizam, incorporando-o a muitas avaliações formais e informais. Consequentemente, os gestores são treinados para se concentrar nas incapacidades, em vez de nas capacidades dos funcionários.

Este capítulo aborda as primeiras obras de Drucker sobre a teoria dos pontos fortes e como esses conceitos moldaram outros aspectos de sua obra, como a seleção e o desenvolvimento de líderes. Também analisa os atributos de líderes eficazes de hoje, como A. G. Lafley, da Procter & Gamble, e como eles se basearam nessa parte da obra de Drucker para reforçar as próprias organizações.

A revolução dos pontos fortes

Nos últimos anos, um grupo de autores ganhou fortuna e fama ao iniciar o que denominaram revolução dos pontos fortes. Marcus Buckingham e Donald Clifton, autores de *Descubra seus pontos fortes*, começam seu best-seller com a seguinte declaração: "Escrevemos este livro para começar uma revolução, a revolução dos pontos fortes. No coração dessa revolução há um mandamento simples: a grande organização deve não apenas se ajustar ao fato de que cada funcionário é diferente, *ela precisa também tirar proveito dessas diferenças*. Deve ficar atenta às pistas dos talentos naturais de cada colaborador e situar e tratar cada pessoa de modo que seus talentos sejam transformados em genuínos pontos fortes."

Há quase 50 anos, Drucker escreveu: "Só se pode construir sobre os pontos fortes. Só se realiza alguma coisa fazendo. Portanto, as avaliações devem almejar, antes e acima de tudo, trazer à tona as capacidades. Ninguém deve ser escolhido para uma posição gerencial se sua visão se concentrar nos pontos fracos das pessoas, em vez de nos fortes." Mais tarde, ele acrescentou: "Teremos de aprender a construir organizações de maneira que qualquer pessoa dotada de capacidade em determinada área importante tenha condições de aproveitá-la."

Como vimos em relação a muitas outras ideias, Drucker foi pioneiro. Isso não significa que as contribuições de Buckingham e de Clifton não sejam autênticas, nem que eles não tenham feito acréscimos importantes aos conhecimentos do inventor da administração moderna. Simplesmente quer dizer que eles lançaram a revolução dos pontos fortes com base numa ideia cuja origem pode ser atribuída a Drucker.

Buckingham e Clifton reconheceram o pioneirismo de Drucker, incluindo a seguinte citação dele na orelha da edição original: "A maioria dos americanos não conhece seus pontos fortes. Olham para você com fisionomia inexpressiva ou respondem em termos de conhecimentos específicos, que é a resposta errada."

Sete dicas para explorar os pontos fortes

"Todo desenvolvimento é autodesenvolvimento" é um dos princípios de administração que Drucker anteviu. Ele significa que todas as pessoas são responsáveis por fazer o necessário para desenvolver a mentalidade, a formação e as iniciativas indispensáveis ao crescimento profissional. A chave é se concentrar nos pontos fortes. A seguir, sete maneiras para fazer isso, extraídas dos livros de Drucker.

1. Liste suas principais contribuições ao longo dos últimos dois ou três anos.
2. Identifique de quatro a seis atribuições específicas pelas quais você é responsável em sua empresa.
3. Informe que você gostaria de realizar tarefas mais difíceis.
4. Analise o melhor em si mesmo antes de buscar o melhor nos outros.
5. Não tenha medo de colegas competentes nem de subordinados ambiciosos.
6. Não se ressinta de pessoas talentosas; pelo contrário: cerque-se das melhores.
7. Torne-se um profissional que de fato realiza seu trabalho e não desperdice energia rebaixando os outros.

Examine seus pontos fortes

Na minha reunião com Drucker, ficou bem claro que a doutrina dos pontos fortes que ele adotara 50 anos antes ainda era um componente muito importante de seu sistema de crenças. Ele próprio conhecia seus pontos fortes e passou boa parte do dia explicando como os desenvolvera durante toda a vida para criar uma nova disciplina, embora tivesse logo admitido que de início não se dispusera a construir algo assim tão grandioso.

Ele sabia que sua maior contribuição – seu principal ponto forte – fora sistematizar a disciplina da administração antes de qualquer outra pessoa. "Assim, o que eu realmente fiz foi reconhecer a administração como uma nova instituição social."

Conhecer os próprios pontos fortes traz outra vantagem: saber o que *não* se quer fazer. Poucos aspirantes a professor ou a acadêmico, por exemplo, rejeitariam um convite de Harvard, mas Drucker o recusou porque conhecia a si mesmo e a seus pontos fortes. Ele detestava estudo de casos e sabia que, em Harvard, eles representavam boa parte das atividades curriculares. Além disso, adorava atuar como consultor, mas, em Harvard, os professores não podiam exercer esse tipo de atividade.

Os líderes que se concentram nos pontos fortes sabem não só o que devem fazer, argumentou Drucker, mas também o que evitar. "Dedique o mínimo possível de recursos à melhoria de áreas de baixa competência", recomendou. "Precisa-se de muito mais energia e de muito mais trabalho para evoluir da total incompetência à baixa mediocridade que para avançar do bom desempenho para a excelência. Ao contrário: os recursos – incluindo o tempo – devem se concentrar em transformar pessoas competentes em executores estelares."

A afirmação de Drucker – de que é mais fácil transformar gestores capazes em líderes notáveis que converter gerentes incompetentes em gestores competentes – foi confirmada por dois outros autores, Jack Zenger e Joseph Folkman, no livro *Desenvolva sua capacidade de liderança*. Durante as pesquisas para a produção do livro, os autores compilaram 200 mil avaliações de 360 graus referentes a 20 mil pessoas, compararam os 10% superiores com os 10% inferiores e constataram que os gestores que não apresentavam pontos fortes perceptíveis foram avaliados no terço mais baixo de todos os gestores das respectivas organizações.

No entanto, quando se percebia que um gestor tinha ao menos um ponto forte, sua avaliação subia do 34º percentil para nada menos que o 68º percentil. Se o líder tivesse três pontos fortes, sua avaliação disparava para o 84º percentil. Eis a explicação de Jack Zenger: "Aqui, a mensagem realmente poderosa é que para ser um líder altamente eficaz em sua organização você precisa ser considerado excepcional em 3 ou 4 pontos, não em 34." Essa conclusão, respaldada por grande quantidade de dados, demonstra o que Drucker defendera décadas antes, ainda nos anos 1950.

Repensando as avaliações de desempenho

Poucos gestores ou funcionários veem de bom grado a época das avaliações de desempenho anuais. Os gestores detestam o processo, em razão da montanha de papéis, e quase todos esperam até o último momento para preencher os formulários, quando o gerente de recursos humanos e a alta administração começam a pressioná-los. As pessoas odeiam as avaliações de desempenho porque ninguém gosta de criticar os outros (nem de ser criticado), e a maioria das avaliações de desempenho se resume a críticas. Esses fatores conspiraram para tornar a época das avaliações de desempenho um ritual bastante incômodo, em vez de uma oportunidade genuína para os gestores que estejam dispostos a mudar a mentalidade predominante que cerca esse exercício tão importante.

Não deixa de ser irônico que Drucker, inventor do sistema de avaliação mais usado no século XX, a administração por objetivos, tenha percebido, desde o início, que os gestores que se concentram nos pontos fracos são "maus gestores". A simples indicação de traços problemáticos ou a identificação de deficiências no exercício da função não contribuem para a melhoria do desempenho. "Não se pode fazer nada em relação ao que não se pode fazer. Não se realiza nada com o que não se faz. Portanto, as avaliações de desempenho devem se concentrar, primeiro e acima de tudo, em trazer à tona o que as pessoas são capazes de fazer", escreveu Drucker, logo no começo da carreira.

Algumas empresas de fato colocam em prática a doutrina dos pontos fortes de Drucker. Na Universidade Toyota, em Torrance, Califórnia, por exemplo, há décadas o treinamento dos pontos fortes tem sido parte importante do currículo. Em 1999, a empresa ofereceu um programa piloto para a identificação dos pontos fortes das pessoas e os resultados superaram as expectativas. Comentários sobre o programa se difundiram rapidamente e, em poucas semanas, a lista de espera chegava a um ano, conforme relata Mike Morrison, reitor da instituição. Hoje, a administração dos pontos fortes está entranhada no DNA dos líderes da companhia.

O exemplo mais representativo de como a Universidade Toyota segue a doutrina dos pontos fortes de Drucker é o processo de avaliação de desempenho. Lá, os gestores são treinados para contornar os pontos fracos das pessoas, concentrando-se nos pontos fortes e descobrindo maneiras de atenuar o impacto das deficiências. Dessa maneira, são feitas mudanças radicais nas avaliações de desempenho, e, segundo Morrison, ainda se trata de um trabalho em andamento. Entretanto, não há dúvida de que a

Universidade Toyota está no caminho certo e muito à frente da maioria das organizações.

Seu "quarto dos fundos" é a "sala de estar" de alguém

Drucker tinha um jeito todo especial para avaliar os pontos fortes alheios. No dia em que conversamos, ele falou muito sobre Jack Welch e a GE e até deu detalhes sobre a maior qualidade do executivo: "Ele tem a grande capacidade de ficar calado." Drucker participou de reuniões com Welch e me disse que o homem ficava sentado durante horas sem pronunciar uma única palavra, a não ser para pedir esclarecimentos sobre um ou outro aspecto ou para resumir os principais pontos. Ele fazia questão de que as reuniões fossem concluídas com a definição de atribuições claras. Drucker afirmou que aprendera isso com Alfred Sloan e que esse ponto era fundamental. Como a maioria das reuniões "termina de maneira confusa", é essencial que os líderes garantam que os participantes saiam da sala com planos de ação muito claros.

Drucker também sabia que os pontos fortes de Welch transcendiam os aspectos mais imediatos – como CEO, ele sempre cultivou a perspectiva estratégica. Welch tinha a rara capacidade de reconhecer as organizações com necessidade urgente de reforma, mesmo quando todo mundo achava que não havia nada de errado na situação vigente.

Quando Welch se tornou CEO da GE, em 1981, os ensinamentos de Drucker estavam frescos na cabeça dele. Isso talvez explique por que ele se deu conta do que passara despercebido para a maioria: embora a companhia fosse aclamada nos livros de administração como modelo de organização, ele reconhecia que a GE tinha de ser "demolida" – como mais tarde ele denominou o processo – ou reinventada.

O que pouca gente (inclusive eu) sabia era que, algumas semanas antes de assumir o mais alto cargo da empresa, Welch visitara Drucker em sua casa em Claremont, na Califórnia. Foi durante essa reunião que ele o aconselhou a partir para a ofensiva. No entanto, mesmo no ataque, é preciso descartar. Lembre-se da máxima do inventor da administração moderna: "O primeiro passo em qualquer política de crescimento é identificar o que precisa ser descartado."

Anos depois, no fim da década de 1990, Welch aprendeu outra lição fundamental de Drucker: Atenha-se ao que você faz melhor e deixe que os outros façam o restante. Em seu livro de memórias, Welch expressou esse princípio por meio da seguinte analogia: "Seu 'quarto dos fundos' é a 'sala de estar' de alguém." Ele atribuiu a Drucker os méritos pela ideia e acrescentou que esse era um princípio em prática na GE. Em vez de manter um restaurante próprio, por exemplo, terceirize-o para uma companhia de alimentação. Se seu ponto forte não for a área gráfica, deixe que uma empresa especializada imprima seus documentos. O importante é conhecer os pontos fortes de sua organização – as áreas em que a empresa realmente será capaz de agregar valor –, então empenhe-se em mobilizar os melhores profissionais e recursos para essas atividades.

Elizabeth Haas Edersheim, biógrafa de Drucker, expressou essa ideia de maneira mais simples. Ela explicou que, segundo Welch lhe dissera, "Drucker o conscientizara da necessidade de a GE desenvolver a capacidade de trabalhar com outras organizações que realizassem da melhor maneira as tarefas que, para ela, fossem menos importantes".

Isso explica por que Welch contratou uma empresa indiana para cuidar do processamento de dados da GE 20 anos antes de a Índia se tornar a meca da terceirização. Ao constatar que essa área nunca seria um ponto forte de sua companhia, Welch descobriu outra empresa que tenha um desempenho excelente nessa atividade. Ele demonstrou que compreendia muito bem a doutrina dos pontos fortes de Drucker, ao comentar: "As atividades de apoio, por definição, nunca atrairão *seus melhores talentos*. Transformamos nossas atividades de apoio em atividades-fins de outras empresas e asseguramos que elas nos forneçam *o melhor*."

Ao longo dos anos, Welch descartou a mentalidade tacanha que caracterizara a GE nas décadas anteriores à sua nomeação como CEO. Ele insistia em que os gestores buscassem respostas fora da empresa para seus desafios mais árduos. "Alguém, em algum outro lugar, terá respostas melhores" se tornou o refrão de Welch. Isso explica, em parte, seu sucesso extraordinário como executivo: examinar os pontos fortes da empresa se transformou num reflexo condicionado, algo enraizado no âmago da cultura organizacional.

Essa foi uma lição que a grande varejista de produtos para o lar Home Depot levou muito a sério. Conscientes de que logística e transporte não estavam entre os pontos fortes da empresa, seus gestores contrataram a UPS para tratar de tudo relacionado a entregas. Dessa maneira, tanto a Home Depot quanto a UPS continuaram a lidar com suas atividades-fins, decisão que beneficiou, principalmente, os clientes da varejista.

Outro exemplo de líder que explora os pontos fortes é James McNerney. Atual diretor executivo da Boeing, McNerney foi um grande líder na GE e trabalhou com Jack Welch durante anos, mas não foi escolhido para sucedê-lo. No entanto, assumiu a presidência da 3M e da Boeing e levou boas práticas de gestão para as duas empresas, embora na 3M tenha exercido um mandato relativamente curto de apenas quatro anos. E como ele maximiza as contribuições das pessoas? Dando – e aplicando – o seguinte conselho: "Espere muito, inspire as pessoas, peça-lhes que pratiquem os valores que consideram importantes em casa ou na igreja e integre-as no dia a dia do trabalho."

Examine os pontos fortes

Que tipo de líder você é? Alguém que explora os pontos fortes de seu pessoal e da organização ou alguém que perde muito tempo com os aspectos negativos? Para saber a resposta, faça o teste dos pontos fortes a seguir. Para cada resposta "concordo plenamente", some cinco pontos; para cada "discordo plenamente", some apenas um.

- Acho que conheço meus pontos fortes e busco maneiras de explorá-los para alcançar os objetivos da organização.
- Procuro maneiras de aprimorar meus pontos fortes, seja por meio da prática, seja buscando a orientação de um mentor ou através de treinamento formal.
- Na parte da organização pela qual sou responsável (equipe, divisão, departamento), aloco os melhores profissionais nas áreas que oferecem as melhores oportunidades de ganhos à empresa.
- Como diria Jack Welch: terceirizo as tarefas e as atividades que ficariam melhor na sala de estar de alguém do que no meu quarto dos fundos.
- Ao me envolver em discussões informais com meus subordinados diretos, me sinto mais propenso a falar sobre os atributos positivos do funcionário que sobre suas deficiências.
- Nas reuniões departamentais que lidero, me concentro nos aspectos favoráveis do desempenho e nas realizações da equipe.
- Estimulo meus subordinados diretos a buscar treinamento em áreas nas quais já são excelentes. Destino parte de meu

orçamento departamental anual ao treinamento deles e incentivo uma atmosfera em que os funcionários de desempenho mediano possam se transformar em colaboradores excelentes.

Agora, some sua pontuação. Nesse teste rápido e informal, compreenda que sua pontuação é apenas um indicador de direção, mas apresentarei a seguir alguns referenciais para que avalie seus resultados.

Se você obteve 28 pontos ou mais, considere-se um líder que guia sua equipe valorizando os pontos fortes.

Se obteve de 22 a 27 pontos, você leva a sério a doutrina dos pontos fortes, porém pode melhorar ainda mais se procurar se aprimorar nas áreas de menor pontuação.

Se marcou entre 17 e 21 pontos, há muito a ser melhorado. Releia as sete afirmações e anote algumas ideias específicas sobre como é possível melhorar.

Se marcou menos de 17 pontos, você é um pessimista que passa o tempo lidando com bobagens e que se concentra nos pontos fracos das pessoas. Leia cada uma das sete afirmações e anote três maneiras pelas quais será possível mudar sua mentalidade e os métodos que emprega para liderar sua equipe.

Exame dos pontos fortes

Lembre-se de que são muitos os aspectos envolvidos na exploração dos pontos fortes. Entre eles se incluem a compreensão dos próprios pontos fortes e a adoção de medidas para fortalecê-los ainda mais.

Lembre-se desta frase clássica de Drucker: "Todo desenvolvimento é autodesenvolvimento." Isso significa ajudar seus subordinados diretos a melhorar os próprios pontos fortes e a contornar ou atenuar os fracos.

Explorar os pontos fortes também significa ser estratégico ao atribuir as tarefas a seus funcionários, isto é, alocar os melhores profissionais a projetos capazes de render os melhores resultados. Drucker adverte que as organizações sem fins lucrativos, por exemplo, destinam as melhores pessoas a "áreas em que não geram resultados". Esse erro é frequente e mais comum em organizações nas quais as mudanças demoram para acontecer.

A realização de avaliações dos pontos fortes – digamos, a cada dois anos – pode ajudar os gestores a fazer ajustes fundamentais em momentos críticos – por exemplo, ao disputar um cliente importante ou ao criar um novo produto.

Por fim, os gestores mais eficazes contratam e promovem as melhores pessoas. Drucker nos lembra disso ao recordar o que Andrew Carnegie, o rei do aço nos Estados Unidos, gostaria que fosse registrado em sua lápide: "Aqui jaz um homem que sabia pôr a seu serviço pessoas mais capazes do que ele próprio."

Capítulo 9
O fator crítico

"Os líderes não saem por aí perguntando 'O que quero fazer?', mas 'O que precisa ser feito?'. Em seguida, perguntam: 'Entre as coisas que fazem diferença, qual é a mais adequada para mim?' Não se dedicam a atividades nas quais não são bons. Certificam-se de que sejam feitas, mas não por eles."

Em 50 anos, as posições de Drucker em relação aos temas liderança e carisma não mudaram. Ele argumentava que se dá muito destaque ao carisma e pouca atenção ao que realmente importa, por exemplo o caráter e a capacidade de realização. "Liderar não é ter personalidade magnética. Não é 'fazer amigos e influenciar pessoas' – isso é ter talento para vendas", declarou Drucker. "Liderar é ampliar a visão para horizontes mais abrangentes, é elevar o desempenho dos outros a padrões mais elevados, é desenvolver a personalidade dos liderados além das limitações que eles têm."

Drucker também alegava que "qualidade de liderança ou personalidade de liderança" é algo que não existe. Com isso ele queria dizer que todos são diferentes e que não existe um único conjunto preestabelecido de características que definem todos os líderes. Na opinião dele, Harry Truman, o 33º presidente dos Estados Unidos, não tinha nem um pouco de carisma – "era tão sem graça quanto um peixe morto" –, mas ele era "absolutamente confiável" e "adorado".

Também achava que Franklin Roosevelt, Winston Churchill, George Marshall, Dwight Eisenhower, Bernard Montgomery e Douglas MacArthur foram líderes excepcionais durante a Segunda Guerra Mundial. Entretanto, nem sequer dois deles tinham os mesmos "traços de personalidade" ou "qualidades".

As figuras mais carismáticas do século XX, escreveu Drucker, foram Hitler, Stalin, Mao e Mussolini. Ele os denominou "antilíderes". Achava que Ronald Reagan, assim como Truman, foi um dos presidentes americanos mais eficazes do século passado. "Seu grande ponto forte não era o carisma, como em geral se supõe", explicou Drucker, "mas saber exatamente o que podia e o que não podia fazer."

A chave é a eficácia

Em 2004, em uma entrevista para a Forbes.com, Drucker afirmou que, 50 anos antes, ele fora o primeiro autor moderno de livros de administração a falar sobre liderança. Desde então, argumentou, dedicou-se muita atenção à liderança, "mas não o suficiente à eficácia". Ele estava certo. Digite a palavra *leadership* (liderança) no campo de busca de livros da Amazon.com e você encontrará cerca de *250 mil* ocorrências. As obras sobre liderança sempre vendem muito bem, o que explica por que os editores gostam tanto do tema e por que é tão grande a oferta de títulos nesse segmento.

"Líder é alguém que tem seguidores." Foi assim que ele definiu liderança em vários de seus livros. De acordo com James O'Toole, ex-diretor do Booz Allen Hamilton Strategic Leadership Center, "há algo de profundo nessa revelação. Os pretensos líderes podem concentrar esforços no aprendizado do que devem *fazer* para atrair seguidores. Não existe ponto de partida mais fácil".

Em seguida Drucker acrescentou: "O fundamento da liderança eficaz é refletir sobre a missão da organização, defini-la e descrevê-la com clareza e visão." Curiosamente, a definição de Jack Welch para liderança é muito parecida com a de Drucker: o líder de Welch é "alguém capaz de descrever a visão da empresa e conseguir que outros a executem".

Drucker resumiu a diferença entre administração e liderança em menos de 20 palavras e repetiu essa definição ao longo de toda a sua carreira: "Administração é fazer as coisas do jeito certo; liderança é fazer as coisas certas."

Por fim, os talentos inatos, como mostramos no Capítulo 5, e todos os líderes realmente eficazes estão muito mais interessados em "*o que* está certo do que em *quem* está certo. Pôr a personalidade acima das necessidades do trabalho é um tipo de corrupção e algo que também corrompe", escreveu Drucker.

Ele aprendeu essa lição com Alfred Sloan, da GM. Lembre-se de que Sloan não foi quem contratou Drucker para analisar sua empresa, em 1943, realizando o estudo que deu origem ao livro *Concept of the Corporation*. Sloan, na verdade, era contra a proposta. No entanto, depois que Drucker entrou na companhia, ele disse ao jovem promissor: "Você nos diz o que considera certo. Não se preocupe com *quem* está certo. Não se preocupe com a possibilidade de esse ou aquele membro de nossa administração gostar ou não de suas recomendações ou conclusões."

O ideal de liderança de Drucker

Drucker esteve sempre à frente de seu tempo. Em seu primeiro livro de negócios, ele escreveu: "Nenhuma instituição será capaz de sobreviver se precisar de gênios ou de super-homens para administrá-la. Elas devem ser estruturadas de maneira que possam prosperar sob a liderança de pessoas comuns. Nenhuma organização será duradoura sob o domínio de um único indivíduo."

Ele fez essa afirmação em 1946, num livro em que desenvolveu um argumento convincente a favor da descentralização e contra organizações puramente hierárquicas e autocráticas. Acreditava que a autocracia tinha contribuído para o declínio de Henry Ford, cuja empresa acabou sendo superada pela GM, fracasso que se explica por sua tentativa de dirigir um negócio multibilionário sem confiar nos gerentes.

Drucker também explicou por que a liderança é uma questão mais importante para as organizações empresariais que para outras instituições: "Na empresa moderna, o problema da liderança é não só mais importante que em outras instituições. Ele é também muito mais difícil, porque o empreendimento industrial moderno precisa de muito mais líderes, e de alta qualidade, que outras instituições. Ao mesmo tempo, os processos de formação de líderes dessas organizações não atendem às necessidades, seja em número, seja em qualidade e experiência."

Mais tarde, acrescentou: "A liderança não pode ser criada nem promovida. Não pode ser ensinada nem aprendida. A administração é incapaz de criar líderes. Ela só consegue oferecer as condições sob as quais as lideranças potenciais se realizam. No entanto, também pode sufocá-las."

Em outras palavras, os *grandes* líderes são natos, não são produzidos. Drucker achava que os talentos inatos são raros. Ele desenvolveu esses argumentos em seus dois primeiros livros de negócios, publicados em 1946 e em 1954. No entanto, suas visões sobre o tema se abrandariam ao longo do tempo. Afinal, ele escreveu tantas obras exatamente com o intuito de transformar pessoas comuns em gestores profissionais. Lembre-se de que, ao começar, ele vasculhou livrarias em busca de títulos sobre administração, mas não encontrou nada, por isso resolveu escrevê-los.

Como vimos no Capítulo 5, Drucker compreendia que havia poucos talentos inatos para dirigir grandes empresas. Sua obra foi útil para o desenvolvimento dos gestores tão necessários quando não se pode contar com os talentos inatos.

No entanto, para ser um líder eficaz, é preciso ter a consistência da qual eles são feitos, assunto sobre o qual Drucker falou e escreveu durante boa parte da vida. Conforme ele já afirmara antes: "Liderança é fazer as coisas certas." Os líderes mais eficazes, os que conseguiram as melhores avaliações de Drucker, apresentavam as seguintes características e tendências:

Tem caráter e coragem

Quem quer que tenha conhecido ou conversado com Drucker sabe que ele vivia de acordo com o que pregava, que era sincero em suas afirmações e que cumpria o prometido. Talvez não soubesse nada sobre "administração do ponto de vista interno da empresa", mas isso não significa que ele não possuía as qualidades consideradas indispensáveis para a liderança eficaz.

A mais básica dessas qualidades é o caráter e ele o tinha de sobra. De acordo com Jim Collins, autor de *Empresas feitas para vencer*, Drucker "era alguém que possuía um senso de humanidade muito profundo e, acima de tudo, muita compaixão pelas pessoas". Trata-se da melhor definição de caráter que se possa imaginar.

Eis a explicação de Drucker: "É por meio do caráter que se exerce a liderança, é ele que dá o exemplo." Desde cedo, ele reconheceu que caráter não é algo que se adquira ou se aprenda e também que os líderes não se recuperam de brechas na sua integridade. "São a visão e a responsabilidade moral que, em última instância, definem o gestor", afirmou.

Drucker achava que o líder também precisa de coragem para tomar decisões difíceis. É preciso coragem para descartar o passado, abrir mão das coisas em que se tem interesse e mudar de direção durante o percurso. De acordo com Elizabeth Haas Edersheim, sua biógrafa, ele gostava de dizer que Jack Welch tinha a "coragem de um leão", por causa das medidas drásticas que adotou para transformar a GE, entre as quais a venda de centenas de negócios e a eliminação de mais de 100 mil empregos.

Define a missão com clareza

Os líderes mais eficazes apresentam uma imagem nítida do que precisa ser feito: "O fundamento da liderança eficaz é refletir sobre a missão da organização, descrevê-la e, por fim, divulgá-la com clareza e visão", explicou Drucker. "O líder determina objetivos, estabelece prioridades, além de definir e manter padrões. E, evidentemente, também faz concessões. Os líderes eficazes têm consciência de que não controlam o universo. Apenas os 'antilíderes' – os Stalins, os Hitlers e os Maos – ostentam delírios de grandeza. Mas, antes de fazer concessões, o líder eficaz reflete sobre o que é certo e sobre o que é desejável. A primeira tarefa do líder é ser a trombeta que soa em alto e bom som."

Dissemina lealdade

Drucker afirmou que os gestores mais eficazes inspiram lealdade em todos os níveis. Esta, entretanto, não pode ser comprada. É preciso merecê-la. Para tanto, os gestores devem estabelecer altos padrões e dar exemplos. Não se pode transgredir os valores da organização. Os gestores que colocam em prática esses valores conseguem motivar seu pessoal a pôr os objetivos da organização acima dos próprios objetivos. Os líderes que inspiram lealdade levantam o moral coletivo, o que, por sua vez, melhora o desempenho.

Lembre-se de que a lealdade é uma via de mão dupla. Os gestores devem pôr em prática o próprio discurso, sendo leais com os funcionários. Isso significa dar feedback positivo, recompensas financeiras e promoções, quando merecidas. No mundo de hoje, em que o talento é escasso, a administração deve tratar os melhores profissionais como se estes recebessem várias ofertas de emprego da concorrência, o que está mais perto da realidade do que em geral se imagina.

Disseminar o medo não é maneira de gerenciar nada. Os gestores que lideram por intimidação pertencem ao passado, não se encaixam no presente nem no futuro. Isso porque quem tem medo de perder o emprego dificilmente contribuirá com inovações significativas.

Concentra-se nos pontos fortes

Como vimos nos capítulos anteriores, os líderes se concentram nos pontos fortes: nos próprios, nos alheios e nos da organização. Drucker afirmou que uma das maneiras de a administração obter resultados é "explorando os pontos fortes com eficácia e tornando os pontos fracos irrelevantes".

Como exemplo, Drucker citou dois presidentes americanos: "Ao compor seus gabinetes, tanto Franklin Roosevelt quanto Harry Truman não se importaram com os pontos fracos dos candidatos. Primeiro, se interessaram pelo que cada um seria capaz de realizar." Drucker, então, observou que não foi por acaso que esses presidentes formaram as duas equipes mais eficazes do século XX.

Não teme subordinados competentes

O líder ideal de Drucker se considera responsável pelo bem-estar da organização. Sendo assim, ele não tem medo dos pontos fortes de seus colegas e subordinados. Os "antilíderes" têm medo de pessoas mais competentes e sempre eliminam os que os ameaçam. Já os líderes eficazes precisam de pessoas capazes e as estimulam, as impulsionam e expressam orgulho por tê-las em sua equipe. Por se considerarem responsáveis pelos erros dos colegas e subordinados, também veem os triunfos deles como seus próprios triunfos, em vez de como ameaças.

"Os líderes podem ser pessoalmente vaidosos – como o general MacArthur, cuja vaidade era quase patológica. Ou podem ser pessoalmente humildes – a humildade de Lincoln e de Truman era tão intensa que ambos pareciam sofrer de complexo de inferioridade. Os três, no entanto, faziam questão de se cercar de pessoas capazes, independentes e seguras de si. Eles encorajavam seus colegas de trabalho e subordinados, elogiando-os e promovendo-os."

Conquista confiança por meio da coerência

"O último requisito da liderança eficaz é a conquista da confiança", escreveu Drucker. "Quando deixa de inspirar confiança, o líder perde os seguidores, o que torna impossível que tenha atuação eficaz. Confiar no líder não significa, necessariamente, gostar dele. Tampouco é o mesmo que concordar com ele. Confiar nele é ter a certeza de que ele está sendo autêntico em suas afirmações, tendo em vista que a atuação e as atitudes do líder devem coincidir, ou ao menos ser compatíveis, com aquilo em que ele acredita. A liderança eficaz não se baseia na inteligência, mas, basicamente, na coerência."

Prepara os líderes de amanhã

Drucker acreditava que o desenvolvimento da liderança era a chave do futuro de qualquer empresa. Ele incentivava a visão de longo prazo e estimulava os gestores a agir da mesma maneira. Na opinião dele, muitos líderes dirigiam empresas de olho nas variações diárias no preço das ações. Escreveu que muitas companhias deviam sua posição de liderança no presente às realizações de pessoas da geração anterior.

Ele também entendia que cabe a todos os líderes planejar a própria sucessão. "A acusação mais grave que podem fazer a um líder é a de ser responsável pelo fracasso da organização logo após sua partida ou morte, como aconteceu na Rússia depois da morte de Stalin e hoje ocorre com muita frequência em várias empresas. O líder eficaz sabe que o teste definitivo da liderança é inspirar outras pessoas e transmitir vigor a elas."

Os fatores críticos

Assim como não existem "atributos da liderança", também não há um único fator crítico. "Liderar é fazer as coisas certas" e isso envolve vários fatores. Sabemos que o líder ideal de Drucker apresentava os seguintes traços e hábitos:

Tem caráter e coragem: Essas são as duas características mais fundamentais do líder.
Define a missão com clareza: O líder determina a linha de chegada.
Dissemina lealdade: O líder compreende que a lealdade é uma via de mão dupla.
Concentra-se nos pontos fortes: O líder "explora com eficácia os pontos fortes e torna os pontos fracos irrelevantes".
Não teme subordinados competentes: O sucesso dos liderados é o sucesso do líder.
É coerente: Liderança não é inteligência; liderança é coerência.
Prepara os líderes de amanhã: Os melhores líderes compreendem que é atribuição deles desenvolver as lideranças que conduzirão a organização no futuro.

Capítulo 10
Drucker a respeito de Welch

"Jack Welch era, sob muitos aspectos, um talento inato. Mas seus antecessores não eram. Tiveram de aprender da maneira difícil, mas conseguiram. Reg Jones, antecessor de Welch, era o mais capaz dos gestores, ou, melhor dizendo, uma das pessoas mais cativantes que conheci."

UMA DAS COISAS QUE me impressionou em Drucker durante a entrevista foi sua capacidade de passar de um tópico a outro num piscar de olhos. Isso se repetiu muitas vezes, mas nenhuma foi tão divertida quanto aquela em que falou sobre Alfred Sloan, passou para as grandes pirâmides do Egito e em seguida abordou a escolha de Jack Welch como novo CEO da GE, tudo num lampejo.

Logo depois de se referir a Sloan como "o homem que inventou o gestor profissional", Drucker comentou que sempre lhe indagavam quem tinha sido o maior gerente da história. "Você sabe qual é a minha resposta?", me perguntou, ansioso.

Caí na armadilha e sugeri Sloan. Mas errei feio.

"O maior gestor de todos os tempos", disse ele, "foi o homem que concebeu, projetou e construiu a primeira pirâmide. Talvez nenhum outro depois dele fosse capaz de tal proeza inédita. Não sabemos quantos milhares de escravos foram envolvidos nesse empreendimento faraônico. Eles trabalhavam no curto período

entre a primavera, quando se arava e plantava, e o c
da colheita. Havia muitos milhares de trabalhadores,
abrigá-los, alimentá-los e prevenir epidemias. O trab
começar depois da ascensão do faraó ao trono, mas o
deveria estar pronto quando ele morresse. Um fator que dificultava ainda mais é, que, naquela época, a expectativa de vida era menor, porque doenças endêmicas, como a tuberculose, assolavam o país. Outro ponto curioso é que os egípcios não tinham numerais. Então, como foram capazes de administrar as despesas dessas obras tão grandiosas? Bem, mesmo com todas essas adversidades, aquele homem conseguiu. Talvez ninguém tivesse êxito se repetisse a façanha hoje. Esse é um dos grandes mistérios da história", concluiu.

Depois dessa digressão, ele fez uma análise mais aprofundada dos talentos inatos e em seguida falou de Jack Welch. Embora eu não tenha percebido na época, o que ele me disse era muito mais que qualquer outra afirmação que já tivesse feito em público sobre o discípulo e sobre o cenário que este herdara ao tomar posse na GE.

Ao se referir ao executivo, Drucker abriu uma exceção à regra de nunca falar a respeito de seus clientes. Na verdade, ele se estendeu na análise da empresa e comparou Welch a seu predecessor, Reginald Jones, presidente do conselho de administração da GE de 1972 a 1981.

Drucker fez uma ampla análise do que Jones realizara na GE antes de Welch se tornar CEO. Então lhe perguntei quem considerava melhor gestor. Para minha surpresa, ele respondeu que Jones tinha qualidades que faltavam a Welch, algo que nunca dissera em público. A seguir, a transcrição desse trecho da entrevista:

– A honestidade de Jones era extraordinária. Na GE, Welch era respeitado e temido; Jones era amado.

– O que é preferível? Quero dizer, quem se destacou como melhor líder: Welch, que era respeitado e temido, ou Jones, que era amado?

– Jones. Mas Welch teria ficado muito frustrado se tivesse sido o gerente geral da GE na década de 1970, quando a empresa, basicamente, estava na defensiva. Jones é responsável por duas grandes realizações: ele reestruturou a companhia e a entregou a Welch em condições de partir para a ofensiva. Jones também foi o primeiro a se dar conta do potencial da GE Finance. Welch, por outro lado, herdou um enorme grupo de executivos treinados, que começou a ser formado muitos anos antes, na década de 1950. Você já deve ter ouvido falar que fui um dos fundadores do centro de treinamento da GE em Crotonville. Bem, foi lá que tudo começou, com o desenvolvimento sistemático de gestores, estratégia adotada desde a época em que Ralph Cordiner presidia a empresa.

O que fez a GE crescer na época de Welch foi a GE Capital, a divisão de serviços financeiros da companhia. Em 2000, por exemplo, ela produziu lucro operacional superior a US$ 5 bilhões, o equivalente a mais de 40% do total. Drucker atribui ao antecessor de Welch o mérito de criar a divisão que deu origem à GE Capital. "Jones se deu conta do potencial da GE Finance, que, até então, se limitava a financiar a fabricação de produtos da empresa. Ele então iniciou a expansão de suas operações para o que viria a ser a divisão de serviços financeiros. Posso afirmar sem hesitação, pois trabalhei com ele nisso, que Jones viu claramente que essa era uma área em expansão", explicou Drucker.

"Sem os serviços financeiros", concluiu, "a história de Jack Welch como executivo do século talvez nunca tivesse sido escrita."

Fiquei pensando no que havia por trás de todos os detalhes que Drucker revelou sobre Welch. Ele sabia que eu editara ou escrevera alguns livros a respeito do executivo e, portanto, talvez tenha achado melhor falar na "linguagem" do líder que eu conhecia mais a fundo.

Ao olhar para o que passou, no entanto, acho que aquela atitude tinha mais a ver com o legado de Drucker. Durante 50 anos, ele trabalhara nos bastidores ajudando a transformar a GE numa das empresas mais admiradas e copiadas do mundo, mas nem sempre foi reconhecido. Ainda lembro o que ele me disse em nossa primeira hora juntos: "Os clientes pagam pelos erros dos consultores."

O que ele omitiu foi o outro lado da equação: quando a empresa acerta, o consultor não é reconhecido. Ninguém ignorava que a GE se incluía entre as organizações mais bem-sucedidas dos últimos 50 anos, mas a importância da contribuição de Drucker para essa proeza era desconhecida.

Poucos diriam que ele exerceu impacto significativo sobre a companhia. Welch admitiu que ele o influenciara em algumas de suas melhores iniciativas, mas, fora isso, Drucker não recebeu o reconhecimento devido pelo que fizera na GE.

Ao longo da carreira, Drucker não correu atrás de troféus nem de elogios, mas há sinais de que vinha dando maior importância a seu legado nos últimos anos de vida. Por que outra razão ele me concederia aquela longa entrevista, sabendo que eu pretendia escrever um livro sobre ele, e depois convidaria Elizabeth Haas Edersheim para escrever sua biografia, que seria publicada depois de sua morte? Essa atitude não era típica de Drucker.

Lembro-me do que ele dissera no começo da carreira: "Um dos segredos para se manter jovem é não dar entrevistas, mas se concentrar no próprio trabalho. É isso que estou fazendo. Desculpe, mas não estou disponível."

No entanto, de uma hora para outra ele ficou disponível.

Embora Drucker fosse mais humilde que a maioria das pessoas que já conheci, era perfeitamente natural que quisesse ser lembrado por suas grandes contribuições a uma disciplina que ajudara a estabelecer e pela influência que exerceu sobre uma das maiores companhias do mundo.

A conexão entre Drucker, a GE e Welch

As raízes do relacionamento entre Drucker e a GE são antigas e profundas. Ele trabalhou como consultor da empresa desde o início da década de 1950. Em 1951, o então diretor executivo da GE, Ralph Cordiner, reuniu uma equipe impressionante, da qual Drucker fazia parte, para descobrir maneiras de aumentar a eficácia da administração. O grupo pesquisou dezenas de outras companhias, analisou os registros de 2 mil funcionários, realizou estudos de tempos e movimentos com os executivos e entrevistou centenas de gerentes.

Sem acreditar muito na mentalidade gerencial inovadora – "um gerente é um gerente, é um gerente", afirmava Cordiner –, ele encomendou a Drucker e a outros consultores a elaboração de um manual que eliminaria a suposição de qualquer desafio, situação ou questão gerencial.

O resultado final desse gigantesco exercício de administração foi algo denominado Blue Books, bíblia gerencial composta de cinco volumes e quase 3.500 páginas. Drucker e os outros consultores haviam tentado escrever uma espécie de manual do proprietário para os gerentes da GE.

No entanto, de acordo com Noel Tichy – renomado professor, consultor e autor de livros de administração que chefiou o centro de treinamento da GE em Crotonville durante os primeiros anos de Welch –, vários dos principais conceitos do novo CEO pareciam ter sido extraídos dos Blue Books. Tichy escreveu em seu livro sobre Welch: "Enterrados em meio a páginas infindáveis de complexas recomendações, encontram-se ideias poderosas, como a administração por objetivos, que foi inovação de Drucker, e conceitos ainda mais revolucionários, que Welch viria a adotar mais adiante."

Tichy citou um exemplo da influência desses primeiros pensadores sobre Welch: "A análise da descentralização, por exemplo, é muito parecida com o espírito da velocidade, de Welch: o mínimo de supervisão e de demora nas decisões; o máximo de agilidade competitiva e, portanto, de serviços para os clientes e de lucros para a empresa." Cordiner fundou Crotonville para "doutrinar os gestores da GE sobre os novos princípios dos Blue Books", acrescentou.

O sucesso do centro de treinamento de Crotonville foi tão grande que fez com que a iniciativa fosse copiada nos Estados Unidos e no exterior, e assim surgiram a Sands Point School, da IBM, e o Hitachi Institute of Management Development, no Japão. Em 2001, o centro de treinamento foi rebatizado de John F. Welch Leadership Development Center.

Como cofundador de Crotonville a convite de Cordiner, Drucker me contou que o novo centro de treinamento exerceu papel fundamental na preparação de um sólido grupo de gestores ao longo de algumas décadas, que se estenderam pelo mandato de Welch como CEO, a partir de 1981.

Em 1956, cerca de 4 mil profissionais e gestores da GE já haviam participado do chamado Professional Business Management Course, um rigoroso programa de treinamento de executivos de 13 semanas durante as quais os participantes ficavam isolados do mundo exterior. Nas sessões matinais, os alunos assistiam a palestras de autoridades públicas, sociólogos e economistas. No fim da década, a quantidade de gestores que tinham participado do programa aumentara seis vezes, totalizando 25 mil, o que constituía mais de 10% da força de trabalho da empresa. Esse grau de compromisso com o treinamento e o desenvolvimento de executivos depois seria reforçado por Welch, que lançou os programas Work-Out e Seis Sigma. Porém, na década de 1950, esse tipo de iniciativa era totalmente inédita.

O que Welch herdou

Drucker continuou seu relato: "No fim da década de 1940 e início da de 1950, Harold Smiddy, o homem que me convidou para prestar consultoria para a GE, foi o arquiteto da reorganização da companhia, um programa abrangente para descentralizar a empresa, transferindo as decisões para os níveis mais baixos da organização. Fui o principal consultor desse programa de descentralização. Welch contava com um enorme contingente de executivos treinados, testados e especializados. Sem o ex-diretor executivo Ralph Cordiner e Smiddy, Welch não teria chegado tão longe."

Fiquei impressionado. *Sem o ex-diretor executivo Ralph Cordiner e Smiddy, Welch não teria chegado tão longe?* Isso contradizia todos os livros que eu havia editado ou escrito a respeito de Welch nos últimos 12 anos. Cada um deles retratava Welch como o CEO salvador que reinventara um dinossauro industrial decadente afundando sob o peso da própria burocracia. E eis que Drucker, consultor de longa data de Welch e da GE, entra em cena e relata um cenário muito diferente dos anos em que aquele executivo esteve à frente da companhia.

Segundo Drucker, a GE do começo da década de 1980 era uma empresa pronta para decolar, como se fosse uma poderosa máquina de produção que tivesse sido programada para entregar muito dinheiro à primeira pessoa que nela inserisse uma moeda.

A relação entre Drucker e Welch era fascinante. O executivo credita a Drucker sua principal estratégia: qualquer negócio que não fosse o primeiro ou o segundo do setor deveria ser descartado. Além disso, outras táticas e práticas do repertório de Welch parecem ter sido inspiradas pelo inventor da administração moderna.

Em 1984, por exemplo, Welch decidiu vender a divisão de utensílios domésticos, exatamente a unidade de negócios que, para muita gente, era a imagem da própria empresa. Welch sabia que aquele era um negócio maduro, que não combinava com os pontos fortes da companhia. Drucker me contou que Welch estava na mesma sala em que nos reunimos naquele dia quando resolveu vendê-la. "Ele reconhece meus méritos nessa decisão", afirmou.

Considerando esse relacionamento, eu queria ter a certeza de que não estava interpretando mal o retrato que Drucker pintava da GE sob a administração de Welch. Para mim, era difícil acreditar que o CEO considerado o melhor de sua geração pela maioria dos observadores – e aclamado como o Executivo do Século – alcançara tanto sucesso graças a iniciativas de Drucker e de outros profissionais, décadas antes. Então, lhe perguntei: "O senhor está dizendo que a GE estava pronta para ser liderada por alguém como Welch?"

"Mais que isso", respondeu e começou a contar sobre o negócio de serviços financeiros da GE e sobre como ele fora constituído antes da ascensão de Welch.

Em sua autobiografia, *Jack definitivo*, Welch relatou que, em 1978, três anos *antes* de sua posse, a GE Capital possuía ativos de US$ 5 bilhões. Entretanto, a obsessão dele por serviços acelerara a transformação de toda a empresa, de gigante manufatureira para colosso em serviços. Em 2000, Welch havia negociado ou autorizado centenas de aquisições pela GE Capital, o que proporcionou um crescimento vertiginoso. Em seu último ano como CEO, a unidade atingira US$ 370 bilhões em ativos e contribuíra com mais de 41% do lucro total da empresa.

Considerando todos os fatos, chego à conclusão de que Reg Jones lançou a GE na trajetória de serviços financeiros, que desempenhou papel essencial na administração de Welch, mas este cultivou e impulsionou o negócio além das mais ousadas expectativas.

O homem certo para o futuro

Drucker terminou essa parte da conversa me dizendo que "Jones escolheu Welch porque ele era a pessoa certa para o *plano de negócios*, e não o mais adequado para dirigir a GE da época. Para conduzir a empresa havia outro candidato, o vice-presidente do conselho de administração, que desistiu por se considerar inadequado para o futuro, embora fosse o líder certo para o presente. Mas a companhia precisava de alguém para o futuro".

Quando se soube que Welch seria o sucessor de Reg Jones, o *Wall Street Journal* comentou que a GE havia decidido substituir "uma lenda por um pavio curto". Ironicamente, Welch se tornaria conhecido como o mais lendário CEO contemporâneo.

Quando Welch decidiu escrever sua autobiografia, as editoras travaram uma disputa ferrenha pelos direitos de publicação. A vencedora foi a Warner Books, que pagou a enorme quantia de US$ 7,1 milhões. Na época, foi o segundo maior adiantamento já pago por um livro de não ficção, atrás apenas da obra escrita pelo papa João Paulo II, que recebeu US$ 8,5 milhões.

Reconciliando os relatos

Drucker parecia convencido de que Welch recebera cartas marcadas para a vitória, pois dispunha de um excelente plano de negócios. No entanto, vários aspectos precisam ser esclarecidos para que se tenha uma imagem completa da situação.

Apesar de afirmar que Welch encontrou tudo pronto antes de tomar posse, Drucker não hesitou em declarar que ele era um grande líder: "Em muitas áreas, Jack Welch é um talento inato. Seu ponto forte é a capacidade de perguntar o que precisa ser feito e de manter o foco nas prioridades, delegando tudo o mais. Durante os cinco primeiros anos, a prioridade dele era reestruturar a GE", disse Drucker. "Em seguida, ele avaliou novamente o que precisava ser feito e definiu nova meta. Por fim, sua última prioridade foi reestruturar a GE em torno das informações."

É importante observar que Drucker elogiou Welch não só para mim, mas em seus livros. Em *Desafios gerenciais para o século XXI*, escreveu: "Desde que Welch assumiu como CEO, em 1981, a GE criou mais riqueza que qualquer outra empresa do mundo."

Ele enalteceu a maneira como Welch organizou a companhia em torno das informações, fator crítico para as organizações da sociedade baseada no conhecimento: "O principal fator para o sucesso de Welch foi a GE ter organizado de maneira diferente as mesmas informações sobre o desempenho de cada unidade de negócios, conforme seus objetivos específicos. Ela manteve os relatórios financeiros e mercadológicos tradicionais, da maneira como a maioria das empresas avalia seus negócios. No entanto, os mesmos dados também eram organizados para a elaboração e o monitoramento da estratégia de longo prazo, ou seja, para mostrar sucessos e fracassos inesperados assim como revelar onde os acontecimentos reais diferiam consideravelmente das expectativas."

Drucker a respeito de Welch

O principal tema deste capítulo envolve questões de tempo e de liderança. Antes de Drucker afirmar que Welch tinha sido a pessoa certa para o futuro da GE, era fácil considerar os líderes apenas em duas dimensões – a pessoa e o empreendimento –, o que significava contratar o candidato mais compatível com o cargo, sem levar em conta o tempo. Mas Drucker explicou: "Não existe essa coisa de pessoa certa. A questão é: certa para o quê?"

As observações de Drucker a respeito de Welch me permitiram compreender a necessidade de haver harmonia entre os gestores, a organização e o tempo. Ao ser promovido a CEO, Welch era o líder certo para o *futuro* da GE, não para a GE de ontem ou daquela época. Quando há cargos importantes a preencher, é fundamental olhar além das necessidades imediatas. Welch teria sido o líder errado para 1971 e talvez para 2001 (ano em que se aposentou). Mas foi o líder certo para executar a grande operação organizacional necessária nas décadas de 1980 e 1990.

Capítulo 11

Decisões de vida ou morte

"As questões que envolvem promoção de funcionários são para os gestores decisões de vida ou morte."

Nos anos 1980, depois da publicação de *O gerente minuto* e *Vencendo a crise*, alguns autores de livros de negócios, bastante ansiosos, exaltavam o advento de uma nova organização, que teria poucas semelhanças com a empresa tradicional. Isso foi durante o "movimento de capacitação", que prometia virar de cabeça para baixo as companhias rígidas, baseadas na dinâmica "comando e controle", achatando a velha estrutura organizacional.

Drucker, no entanto, se deu conta dessa falsa promessa. "Há poucos anos, especulava-se muito sobre a morte da hierarquia", escreveu em 2002. "Todos formaríamos uma equipe feliz, a bordo do mesmo navio. Mas não foi bem assim e não será por uma simples razão: quando o navio está afundando, os líderes não convocam reuniões – eles dão ordens. É preciso que alguém diga: 'Chega de hesitação. Será assim e pronto.' Sem alguém que decida, ninguém decide nada."

Sem alguém que decida, ninguém decide nada é outro druckerismo clássico. Este capítulo é sobre decisões consideradas por Drucker as mais vitais para o futuro da organização: as que ele denominava decisões de vida ou morte.

Examinaremos aqui o modo de pensar e as recomendações de Drucker referentes a decisões sobre pessoas e produtos e outras igualmente importantes que os gestores enfrentam todos os dias.

Definição de decisões de vida ou morte

Um dos segredos para acertar nas decisões de vida ou morte é nunca delegá-las. De início, Drucker as definiu em termos estritos, referindo-se apenas às decisões que envolviam pessoas. Depois, passou a incluir outras decisões críticas, porém não se referia mais a elas como sendo de vida ou morte. Seja como for, as relacionadas a pessoas sempre são decisões de vida ou morte.

Ele explicou que as decisões-chave sobre admissões e promoções de pessoal não acontecem com muita frequência. Mas, quando necessárias, o gestor deve levá-las muito a sério, sem se precipitar: "Poucas coisas estão mais fadadas ao fracasso que tomar decisões apressadas sobre pessoas."

As primeiras decisões de vida ou morte sobre as quais ele escreveu foram:

- Promoções: quem promover e quando
- Demissão ou rebaixamento de um gerente
- Definição do escopo e das funções da unidade organizacional de um gerente (investimentos de capital, por exemplo).

Quem promover?

Drucker sabia desde cedo o que procurar num líder: integridade, caráter e coerência. Mas esses eram apenas os pré-requisitos. Ele acreditava que os líderes mais competentes buscavam pontos fortes nos liderados, mas não se esquivavam dos próprios pontos fracos. É por essa razão que os líderes mais eficazes tomam as decisões mais estratégicas sobre pessoas contratando e promovendo profissionais mais capacitados nas áreas em que eles próprios são deficientes: "Nunca tente ser brilhante no que não é. Explore seus pontos fortes e busque pessoas competentes para executar as outras tarefas necessárias", explicou ele.

Isso não significa que se deva procurar alguém que não cometa erros. "Eu nunca promoveria para uma posição de alto nível uma pessoa que nunca cometeu erros, sobretudo grandes erros. Se fizesse isso, só promoveria medíocres", declarou Drucker.

Quanto ao momento certo, talvez o melhor seja promover alguém insatisfeito, pois provavelmente é quem está mais disposto a abraçar novos desafios. Procure um profissional que tenha um histórico de realizações. "Em última análise", explicou Drucker, "administração é prática. Sua essência não é conhecer, mas fazer. Seu teste não requer lógica, mas resultados. É o desempenho que conta."

Quem demitir?

"Um gestor ou qualquer outra pessoa que não prime pela excelência de desempenho deve ser afastado", repetiu Drucker diversas vezes. É inaceitável que alguém que ocupe uma posição de liderança seja imaturo. Quem se deixa envolver pelo próprio ego destrói a organização. Essas são as pessoas que pensam nelas próprias antes de pensar na organização, que consideram mais importante estar certas do que fazer o certo. Os gestores eficazes lideram por meio de exemplos, colocando em prática os valores da empresa e estabelecendo padrões elevados para si próprios e para seu pessoal. Qualquer coisa menos que isso acabará afundando a unidade de negócios ou toda a organização.

Definição do escopo de cada cargo

É fundamental que todos os seus subordinados diretos saibam exatamente o que se espera deles. Nada é mais destrutivo que desperdiçar tempo e recursos por não saber o que fazer. Portanto, é indispensável que os gestores definam objetivos claros e que eliminem obstáculos à sua realização. Por fim, todos os líderes responsáveis devem pensar na organização do futuro. Qualquer coisa menos que isso é irresponsabilidade.

Em livros posteriores, Drucker não usou tanto a expressão *decisões de vida ou morte*. No entanto, as decisões gerenciais continuaram a ser tema dominante em seus suas obras. Em *Administrando para obter resultados* (1964), por exemplo, ele tratou da importância das "decisões prioritárias", que analisaremos mais adiante neste capítulo. Não importa como elas sejam chamadas, os executivos mais eficazes não só tomam decisões certas com mais frequência que decisões erradas como quase sempre acertam nas mais importantes. Isso é o que distingue os executivos mais eficazes dos demais.

Quem toma decisões de vida ou morte?

Em *Administrando para obter resultados* e *O gerente eficaz*, Drucker insistiu em afirmar que não é necessário que um profissional tenha o título de gerente ou de executivo para tomar as decisões mais importantes da organização. Ele afirmou: "Em cada uma das organizações baseadas no conhecimento há pessoas que não gerenciam ninguém, mas, mesmo assim, são executivos. Na verdade, raramente nos defrontamos com situações como as que eram tão comuns nas florestas do Vietnã, onde, a qualquer momento, alguém era chamado para tomar decisões que, literalmente, determinavam a vida ou a morte de todo o grupo."

Entretanto, nas organizações baseadas no conhecimento, nem sempre são os gestores seniores que tomam as decisões críticas. Funcionários em nível hierárquico mais baixo podem tomar – e de fato tomam – decisões que também afetam o futuro da companhia. Como exemplo, ele cita o químico que "segue determinada linha de pesquisa em vez de outra" e, assim, define os rumos da empresa no mercado. Outro exemplo pode ser o do jovem gerente que muda um produto existente e, assim, proporciona à empresa um lançamento bem-sucedido do novo produto no ano seguinte.

Esse tipo de organização em que tantas pessoas, em vários níveis, podem fazer muitas contribuições significativas representa grande avanço em relação à organização típica do passado, como a de 1918, que Drucker descreveu no Capítulo 5. Aquela era a organização que contava com um punhado de administradores e, abaixo deles, grande quantidade de trabalhadores não qualificados ou semiqualificados. Em companhias com esse tipo de estrutura, apenas os altos executivos podiam tomar decisões de vida ou morte, uma vez que os demais funcionários não estavam preparados para essa incumbência. Mesmo que estivessem, não se dispunha de mecanismos organizacionais para que os trabalhadores contribuíssem com novas ideias. Lembre-se de que no mundo da administração científica de Taylor havia "uma única melhor maneira" de realizar qualquer tarefa, ou seja, nenhum trabalhador era mais talentoso que outro.

O que mudou o cenário foi o advento do trabalhador do conhecimento. "Não se define o trabalho do conhecimento pela quantidade. Tampouco pelos custos. Ele é definido pelos resultados", explica Drucker.

Ele usava o termo *executivo* para se referir aos "trabalhadores do conhecimento, gerentes ou profissionais de quem se espera, em virtude da posição na organização ou do nível de experiência, que tomem decisões que tenham impacto significativo sobre o desempenho ou os resultados do todo". A maioria dos trabalhadores do conhecimento não tem a chance de alterar o futuro da organização, uma vez que apenas os mais talentosos podem fazê-lo. Mas, acrescentou, há mais pessoas capazes de mudar o futuro da organização do que se supõe apenas com base no organograma.

Por fim, pouca gente percebe quantas pessoas, mesmo nas organizações mais estagnadas e nos negócios mais maduros, "precisam tomar decisões de impacto significativo e irreversível", decisões muito semelhantes às tomadas pela alta administração. "Isso acontece porque a autoridade do conhecimento é, sem dúvida, tão legítima quanto a da hierarquia", declarou Drucker.

Entretanto, apenas conhecimento não é suficiente. As pessoas só realizam algo importante quando não são marginalizadas nem dispersadas entre tarefas sem sentido. Nas palavras de Drucker: "Quem de fato executa boa parte do trabalho do conhecimento e de serviços nas organizações – engenheiros, professores, vendedores, enfermeiros e gerentes de nível médio em geral – suporta uma carga crescente de atividades rotineiras, que contribuem com pouco ou nenhum valor e que têm pouco ou nada a ver com a qualificação e a remuneração desses indivíduos."

A regra dos três diretores

A regra dos três diretores é algo que Drucker aprendeu com Ralph Cordiner, ex-diretor executivo da GE com quem trabalhou nos Blue Books e no centro de treinamento da empresa em Crotonville. A regra prevê que o diretor executivo responsável, durante os três primeiros anos no cargo, deve identificar ao menos três candidatos "iguais ou melhores do que ele" para substituí-lo ou sucedê-lo a qualquer momento, caso necessário. Contudo, além do diretor executivo, todos os demais gestores devem se preocupar com o futuro.

Eis a explicação de Drucker: "O primeiro princípio do desenvolvimento de gestores é abranger todo o grupo gerencial.

O segundo princípio é ser dinâmico. Deve sempre se concentrar nas necessidades do futuro. A tarefa de desenvolver os gestores do futuro é, ao mesmo tempo, grande e importante demais para ser considerada especial e esporádica. Seus resultados dependem de todos os fatores da gestão de profissionais de uma empresa: a descrição de cada cargo gerencial e dos relacionamentos do titular com superiores e subordinados, o espírito da organização e a estrutura organizacional." Essa atividade de desenvolvimento dos líderes do futuro é ainda mais fundamental nas organizações de hoje, em que faltam talentos. Essas empresas precisam mais de seus melhores profissionais do que estes precisam delas.

Decisões prioritárias

Em *Administrando para obter resultados*, Drucker levou mais adiante suas ideias sobre as decisões com que os gestores se defrontam e sobre como devem ser priorizadas. Ele explicou que, por mais bem organizada e gerenciada que seja a empresa, sempre haverá mais oportunidades do que recursos para explorá-las. Portanto, é preciso tomar "decisões prioritárias, ou nada será feito". Essas decisões forçam os gestores a enfrentar as realidades da situação, "seus pontos fortes e fracos, suas oportunidades e suas necessidades".

"As decisões sobre prioridades transformam boas intenções em compromissos reais e convertem ideias em ações", escreveu Drucker. Também sugeriu que a maneira como as empresas definem suas prioridades diz muito sobre elas. "As decisões sobre prioridades indicam o nível e a seriedade da visão gerencial. Elas definem os comportamentos básicos e a estratégia."

Uma das chaves das decisões sobre prioridades é saber o que *não* deve ser feito. Ele explicou que, em geral, as pessoas não têm muita dificuldade em estabelecer as prioridades. No entanto, os gestores se defrontam com um problema maior: definir o que pode ser adiado e, portanto, deve ser descartado. "Não me canso de repetir: tudo o que é adiável é descartável." Essa afirmação não deveria surpreender, pois o descarte planejado é componente vital do repertório de Drucker.

Ele sugere que os gestores precisam ser disciplinados para se afastarem do que já pareceu boa ideia ou oportunidade: "É quase sempre um erro grave reconsiderar algo adiado, por mais desejável que tenha parecido, quando, em algum momento do passado, teve de ser adiado."

Em outras palavras, não tenha medo de descartar um negócio ou produto que foi adiado ou que não gerou os resultados esperados, apesar dos recursos investidos. Drucker achava que os gestores se comprometiam demais com ideias que já fizeram sentido, mas que depois, quando avaliadas com novos olhos, não pareceram tão convenientes e oportunas diante do futuro que se apresentava.

Isso acontece porque as empresas são os "agentes de mudança da sociedade", conforme Drucker explicou anos depois: "A companhia aparentemente mais bem-sucedida de hoje é um misto de falsidade e fracasso se não inventar seu próprio amanhã diferente. Ela deve inovar e recriar não só seus produtos ou serviços, mas também o empreendimento em si. Todas as outras grandes instituições da sociedade se destinam a *conservar* a ordem vigente e até a evitar mudanças. *Apenas as empresas foram feitas para inovar.* Nenhuma organização sobreviverá por muito tempo, muito menos prosperará, se não inovar com êxito."

O segredo, diz Drucker, é destinar os recursos mais escassos às melhores oportunidades, concentrando-os nos poucos produtos, serviços e ideias que tendem a produzir os maiores resultados. As empresas que tentam fazer muitas coisas ao mesmo tempo fracassarão, argumentou ele. "Acima de tudo", explicou, "as verdadeiras grandes oportunidades – as que transformam os planos em realidade e fazem o futuro – devem receber recursos compatíveis com o que delas se espera, mesmo ao preço de se descartar, de imediato, empreendimentos aparentemente seguros, mas pequenos."

Em 2004, ele explicou que uma das armadilhas mais traiçoeiras para os gestores é serem incentivados a insistir em algo com pouca chance de sucesso. Nessas circunstâncias, os gestores costumam ceder às pressões de outros colegas e se empenham em fazer sopa de pedra, que pode ser um novo produto ou serviço, a variação de um produto, um novo processo, etc. É por isso que Drucker recomendava: "Não me diga o que está fazendo. Diga-me o que *parou* de fazer."

Decisões de vida ou morte

Drucker nunca se esqueceu das lições que aprendeu com Alfred Sloan, entre as quais a de que não há decisões mais importantes que aquelas que envolvem pessoas. "Os executivos passam mais tempo gerenciando pessoas e tomando decisões relacionadas a elas que com qualquer outra coisa – e é assim que deve ser", insistia Drucker. "Nenhuma decisão é tão duradoura em suas consequências ou tão difícil de desfazer." Ele acrescentou que a maioria dos executivos toma decisões erradas sobre pessoas, com acerto médio não superior a 33%. Ou seja: um terço dos novos contratados é bom; outro terço é "minimamente eficiente"; e o terço restante é um desastre.

No longo prazo, Drucker acreditava que a maneira de Sloan de selecionar pessoas era impecável, pois ele se encarregava pessoalmente de todas as decisões importantes. E, caso pareça que microgerenciava as decisões sobre admissão de pessoal, ele deve ser perdoado, principalmente tendo em vista a importância de sua percepção na escolha de profissionais para o sucesso da GM.

Depois das decisões sobre pessoas vêm as decisões sobre prioridades: como alocar recursos. A chave é destinar as melhores pessoas às oportunidades em que são capazes de exercer o maior impacto. As organizações nas quais seus principais profissionais alimentam embates pessoais ou entre departamentos estão sendo mal administradas. Não permita que "investimentos no ego dos gestores" interfiram em decisões de descarte de projetos que foram adiados ou desconsiderados.

Capítulo 12

O Drucker estratégico

"Sem compreender a missão, os objetivos e a estratégia do empreendimento, os gestores não podem gerenciar, as organizações não podem ser estruturadas e os cargos gerenciais não podem ser produtivos."

A HISTÓRIA A SEGUIR é parte do folclore de Peter Drucker. O título original do livro de Drucker *Administrando para obter resultados*, de 1964, era *Business Strategies* (Estratégias de negócios). No entanto, *estratégia* não era um termo muito usado na área de negócios na década de 1960.

Quando perguntados sobre o que achavam do título, gestores, consultores, professores e livreiros convenceram Drucker e o editor a não o adotar. "Muitos afirmaram que estratégia era um termo militar ou, talvez, relacionado a campanhas políticas, mas definitivamente não a negócios." Drucker observou que a edição de 1952 do *Concise Oxford Dictionary* ainda definia estratégia como liderança militar; a arte da guerra; administração de um exército ou de exércitos em campanha.

Evidentemente, uma década depois, "estratégia gerencial" já passara a representar um dos aspectos mais populares e mais estudados em administração de empresas.

Propósitos e objetivos primeiro

Para Drucker, a estratégia, como tudo mais em administração, é um jogo de pessoas pensantes. Ela não é elaborada com base em algum conjunto de regras rígidas, mas refletindo-se sobre os vários aspectos do negócio.

Tudo começa com os objetivos. "Apenas definições claras da missão possibilitam objetivos empresariais nítidos e realistas. Esse é o fundamento das prioridades, das estratégias, dos planos e da distribuição do trabalho. Esse é o ponto de partida para a composição dos cargos gerenciais e, acima de tudo, para o desenho da estrutura organizacional. Esta segue a estratégia, que, por sua vez, determina as principais atividades de determinado negócio. O alicerce da estratégia é a definição do negócio: como ele é e como deve ser."

Drucker também explicou que "talvez nada pareça mais simples e mais óbvio que responder qual é o negócio da empresa. As usinas siderúrgicas fabricam aço, as ferrovias transportam cargas e passageiros. No entanto, na realidade, 'Qual é o nosso negócio?' é, quase sempre, uma pergunta difícil que só pode ser respondida depois de muita reflexão. E, em geral, a resposta certa é tudo, menos óbvia."

Rememorando a Lei de Drucker, não se pode criar nenhuma estratégia sem o cliente, pois é ele que define o propósito do negócio. E, "portanto, a pergunta 'Qual é o nosso negócio?' só pode ser respondida quando se observa a empresa de fora para dentro, do ponto de vista do cliente e do mercado. O que ele vê, pensa, acredita e quer em determinado momento deve ser aceito pela administração como fato objetivo a ser considerado com seriedade", assim como quaisquer dados concretos coletados por vendedores, contadores ou engenheiros, afirmou Drucker.

Ele também reiterava que a causa mais importante do fracasso de empresas é a incapacidade da administração de indagar "Qual é o nosso negócio?" de "forma clara e incisiva". E a pergunta não deve ser formulada apenas quando a empresa está iniciando as atividades ou enfrenta dificuldades. "Ao contrário", escreveu Drucker, "levantar a questão e analisar a resposta em profundidade é mais necessário quando um negócio é bem-sucedido. Não agir assim continuamente pode resultar em rápido declínio."

Drucker recorre à American Telephone and Telegraph Company (AT&T) do início do século XX como exemplo de empresa que acertou em cheio. Muito antes de se associarem serviços a negócios, o presidente da AT&T assim definiu a companhia: "Nosso negócio são serviços." Outra pioneira em ressaltar a importância dos serviços foi a IBM. "Vendemos serviços" foi um dos slogans que Thomas J. Watson Sr. mandava afixar nas paredes.

Drucker admitiu que hoje tudo isso parece óbvio, mas enfatizou que, na época, esses conceitos eram inovadores. De início, a AT&T era um monopólio, ou seja, os clientes não tinham acesso a produtos concorrentes. Mas essa definição do negócio implicava "inovação radical na política das empresas, pois exigia treinamento intensivo, uma espécie de doutrinação", nas palavras de Drucker, de toda a força de trabalho, além de campanhas de relações públicas focadas em serviços.

Também requeria uma "política financeira que pressupunha a necessidade de a empresa prestar serviços onde houvesse demanda, cabendo à administração levantar o capital necessário e gerar retorno", acrescentou Drucker. "Olhando para trás, tudo isso é evidente, porém se precisou de mais de uma década para se chegar a todas essas conclusões." Drucker, então, lança a questão: "Será que passaríamos por todo o período do New Deal sem nenhuma tentativa séria de nacionalização da telefonia, sem a autoanálise cuidadosa da AT&T na década de 1900?"

Exemplo do século XXI

É fácil encarar a questão "Qual é o nosso negócio?" como algo extraído de velhos compêndios de administração empoeirados que ninguém mais lê. Que gestor ignora o negócio em que atua? No entanto, um exemplo de nossos tempos demonstrará o poder e a longevidade do refrão de Drucker "Qual é o nosso negócio?".

Depois de estudar dezenas de empresas e casos de sucesso, descobri um protótipo de companhia contemporânea que aderiu como poucas aos princípios clássicos de administração: a varejista on-line Amazon.com.

Como muitas emergentes notáveis, sua história é incrível. De acordo com o folclore da empresa, o fundador, Jeff Bezos, rascunhou o plano de negócios original durante uma viagem de carro com a mulher de Fort Worth, no Texas, para Bellevue, em Washington.

Definição de uma empresa do século XXI

Bezos trabalhou na área de informática antes de entrar no mundo dos bancos de investimentos, primeiro na Bankers Trust Company e, depois, na D. E. Shaw & Company, um fundo hedge quantitativo, que atraiu muito interesse por suas técnicas de operação inovadoras. Ele se destacou nesses empregos. Em 1994, o presidente da D. E. Shaw & Company, David Shaw, deu a Bezos o que se tornaria a missão de sua vida: estudar e analisar oportunidades de negócios potenciais na internet.

Foi então que Bezos descobriu uma estatística espantosa: o uso da internet vinha crescendo à inacreditável taxa de 2.300% ao ano. Ele sabia que aquele número não era comum: "É preciso se lembrar de que os seres humanos têm dificuldade em compreender o crescimento exponencial", disse. "Trata-se de algo que não vemos em nosso dia a dia. As coisas não crescem assim tão rápido, exceto talvez bactérias." E complementou: "Quando algo avança a 2.300% ao ano, você precisa se movimentar com rapidez. O senso de urgência passa a ser seu principal recurso."

Bezos, então, elaborou uma lista de 20 produtos que poderiam ser vendidos on-line, entre os quais música e suprimentos de escritório. No entanto, logo concluiu que o livro era o que apresentava características mais favoráveis à comercialização pela internet, ao constatar o grau de fragmentação do setor, com mais de 3 milhões de títulos impressos e dezenas de milhares de editoras. Mesmo a líder do segmento, a Random House, controlava menos de 10% do mercado.

Por incrível que pareça, em setembro de 1994 Bezos participou de um seminário introdutório sobre venda de livros, com duração de quatro dias, patrocinado pela American Booksellers' Association. À primeira vista, o programa do evento não era muito empolgante e incluía tópicos como "Desenvolvimento de planos de negócios", "Pedido, recebimento e devolução" e "Gerenciamento de inventários".

No entanto, as lições daquela semana foram além do previsto. O presidente da associação transmitiu uma mensagem inspiradora sobre serviços, ao relatar o caso de um cliente cujo carro, não se sabe como, ficou coberto de poeira no estacionamento de sua livraria. O cliente se mostrou tão aborrecido com o incidente que o presidente da associação e dono do estabelecimento se dispôs a ir pessoalmente à casa dele, no outro lado da cidade, para lavar o veículo. Bezos nunca se esqueceu dessa história e, desde então, se comprometeu em tornar o atendimento aos clientes a "pedra angular da Amazon.com".

A gigante do comércio eletrônico foi constituída em 1994, começou a operar em 1995 e abriu o capital em 1997. É interessante saber que a Amazon não foi a primeira livraria on-line – e nem a segunda ou a terceira. No entanto, desde o começo, foi a mais bem concebida e a mais focada nos clientes, representando ameaça real para as livrarias tradicionais, como a Barnes & Noble e a Borders.

O foco contínuo de Bezos nos clientes desempenhou papel vital na consolidação da vantagem competitiva da empresa. Nos primeiros anos, segundo os comentários da época, ele se reunia com seu pessoal a cada três meses com a intenção de lembrar a eles que a excelência em serviços aos clientes era a chave do sucesso da organização.

Um dos demais fatores críticos de sucesso foi como Bezos definiu o negócio. De início, ele poderia ter respondido facilmente à pergunta de Drucker "Qual é o nosso negócio?" dizendo "Livraria on-line". Afinal, a Amazon era exatamente isso nos primeiros anos.

Mas, em sua primeira carta aos acionistas, Bezos previu o futuro da empresa: "Nós resolvemos oferecer aos clientes algo que eles simplesmente não poderiam obter de nenhuma outra maneira e *começamos* a servi-los com livros."

Em sua segunda carta aos acionistas, em 1998, ele afirmou o seguinte: "Estamos empenhados em construir um lugar onde dezenas de milhões de clientes possam procurar e descobrir *qualquer coisa* que queiram comprar on-line. Trata-se, na verdade, de um divisor de águas da internet e, se executarmos nosso plano de negócios com eficácia, também será um divisor de águas para a Amazon.com."

Hoje sabemos que Bezos imaginou o que o negócio "deveria ser" – respondendo, assim, à pergunta clássica de Drucker – em dezembro de 1996. Em uma convenção que reuniu todos os funcionários da companhia, os debates se concentraram em como a Amazon expandiria sua linha de produtos para oferecer mais que livros, conforme relata Robert Spector, autor de *Amazon.com: Get Big Fast* (Amazon.com: Cresça rápido).

Um executivo da empresa resumiu assim a situação: "Era óbvio desde o começo que a Amazon, caso se limitasse a livros, não conseguiria manter margens satisfatórias no longo prazo."

Se Bezos tivesse fornecido uma definição mais limitada da companhia, teria restringido o modelo de negócios, comprometendo a capacidade da empresa de executar sua estratégia de ampla diversificação da linha de produtos. Muito antes de ela gerar lucro, ele imaginou um gigante em que as pessoas pudessem comprar "*tudo* on-line". Em poucos anos, ela expandiu suas ofertas para música, CDs, DVDs, MP3s, softwares, vídeo games, ferramentas, produtos eletrônicos, roupas, móveis, alimentos e brinquedos, entre outros itens.

Em vez de definir a empresa pela linha de produto, Bezos ressaltou a experiência dos clientes ("foco total nos clientes") e criou uma "comunidade de consumidores", dois ingredientes fundamentais para o sucesso do negócio. Ao contrário do que ocorre nas livrarias tradicionais, um cliente da Amazon.com pode participar mais intensamente do processo de busca e de compra, enviando resenhas e avaliações dos livros. Os autores também são estimulados a se envolver mais pessoalmente, respondendo às perguntas que os leitores escrevem na página do livro no site da Amazon.

Sob a perspectiva das editoras, essas inovações representavam enorme avanço. Antes da Amazon.com, a equipe editorial e os gerentes de marketing não tinham mecanismos para receber feedback direto dos leitores. Agora, os editores podem ler resenhas de seus livros e dos de outras editoras produzidas diretamente pelo consumidor final.

Além disso, a empresa avalia todos os livros, considerando o ranking de vendas a cada hora, fornecendo aos editores dados em tempo real sobre o desempenho de seus produtos. Antes das avaliações da Amazon, havia listas impressas de best-sellers, mas elas abrangiam apenas uma pequena fração de todas as obras publicadas

O diretor executivo na imagem de Drucker

Apesar de toda a conversa sobre a "nova economia" e sobre como "a internet mudou tudo", a Amazon.com foi construída sobre conceitos de negócios clássicos, que podem ter sido extraídos diretamente do repertório de Drucker, como veremos nas páginas a seguir.

Bezos é um talento inato, mas fundar e fazer um negócio on-line prosperar, na aurora da internet, foi uma tarefa hercúlea, em especial por se tratar de uma empresa que logo se transformaria numa das marcas virtuais mais reconhecidas do mundo.

Em meados da década de 1990, ele chamou a World Wide Web de World Wide Wait – na época, o acesso discado era extremamente lento e enervante, e as pessoas tinham medo de fornecer os dados de seus cartões de crédito na rede. Muitos eram os obstáculos a serem superados por qualquer novo negócio virtual nos primórdios do comércio pela internet.

Apesar dos obstáculos, Bezos sempre conseguiu oferecer uma ótima experiência a quem visitava seu site. Também fez todas as outras coisas que Drucker considerava essenciais para garantir a saúde de sua empresa a longo prazo. Ele era não apenas um gestor inteligente, mas também um executivo eficaz.

Seguindo o repertório de Drucker

Desde os primeiros anos da Amazon, Jeff Bezos compreendeu que os objetivos presentes e futuros do negócio não são "abstrações", termo usado por Drucker. Ele sabia que precisava promover o crescimento da empresa e que suas taxas de expansão deveriam proporcionar maior lucratividade que as margens bem estreitas do mercado editorial.

Drucker dizia: "É irracional não planejar o crescimento. Todas as empresas precisam ter objetivos e estratégias para crescer e maneiras de distinguir o crescimento saudável da obesidade e do câncer." Ele também afirmava: "A organização deve ser reformulada quando a empresa muda. Será que a divisão em diferentes unidades ainda é a maneira mais adequada para promover o desempenho econômico do empreendimento como um todo? Ou esse critério tenderá a tornar o resultado de cada unidade mais importante que o do conjunto?"

Hoje, sabemos que Bezos refletiu sobre essas questões críticas ainda nos primórdios do negócio. Ele imaginou como o negócio seria no início – livros – e no futuro – quase tudo!

Examinemos com mais cuidado como ele agiu – como comunicou sua visão e estratégia – e comparemos o desempenho dele com os ensinamentos de Drucker. Uma análise cuidadosa dos trechos a seguir revela um diretor executivo moderno, que fazia as perguntas certas nos momentos críticos e tomava iniciativas decisivas para garantir que nada – desde concorrentes até novas tecnologias e planos de negócios superados – tiraria a empresa do rumo, à medida que ela avançava da fase embrionária de experiência inédita para o estágio atual de maior varejista on-line do mundo.

Obsessão pelos clientes

Drucker: "O cliente é quem determina qual é o negócio, pois é ele – e só ele – que, ao se dispor a comprar bens e serviços, transforma recursos econômicos em riqueza e itens em bens. O que a empresa *supõe* que produz não é de importância primordial e é ainda menos relevante quando se trata de seu futuro e de seu sucesso a longo prazo. O que importa mesmo é o que o cliente supõe estar comprando e considera 'valor', pois determina o que o negócio é, o que produz e se irá prosperar. O cliente é fundamental para o negócio e garante sua existência. Só ele gera emprego."

Bezos: "Desde o começo, nosso foco tem sido oferecer aos clientes um valor convincente, fornecendo-lhes algo que simplesmente não conseguiriam obter de nenhuma outra maneira. Começamos a servi-los com livros. Proporcionamos-lhes muito mais escolhas do que, talvez, qualquer loja física, numa plataforma fácil de pesquisar e de navegar, numa loja aberta 365 dias por ano, 24 horas por dia. Nós nos dedicamos incansavelmente a melhorar a experiência de compra, reduzimos os preços consideravelmente, aumentando ainda mais o valor para os clientes. A propaganda boca a boca ainda é a ferramenta mais eficaz para conquistar clientes e agradecemos pela confiança que eles depositam em nós."

"Tudo tem a ver com o longo prazo"

Drucker: "Há outro fator importante em cada problema gerencial, em cada decisão e ação. Não se trata exatamente de uma quarta função da administração, mas uma dimensão adicional: o tempo. A administração sempre precisa levar em conta o presente e o futuro de longo prazo."

Bezos: "Tudo tem a ver com o longo prazo" se tornou uma frase de efeito nas cartas anuais de Jeff Bezos aos acionistas da Amazon, a partir da primeira, em 1997. Sob esse título, Bezos escreveu: "Acreditamos que a medida fundamental de nosso sucesso será o valor que criamos para os acionistas *a longo prazo*. Nossas decisões, consistentemente, refletem esse foco. Em razão da importância que atribuímos ao longo prazo, podemos tomar decisões e ponderar opções excludentes de maneira diferente das de algumas empresas."

Não deixe que Wall Street dirija a empresa

Drucker: Ele advertia os gestores de que a liderança em qualquer mercado é efêmera e que o presente se torna obsoleto quase imediatamente. Também os incentivou a nunca dirigir suas empresas de olho nos índices da Bolsa de Valores, ou seja, ele os aconselhava a não deixar que o preço das ações no curto prazo influenciasse as principais decisões gerenciais.

Bezos: Ele se empenha em "decidir sobre investimentos tendo em vista a *liderança do mercado* a longo prazo, em vez da lucratividade no curto prazo ou das reações imediatas da Bolsa". Em 2000, acrescentou: "Conforme o famoso investidor Benjamin Graham afirmou: 'No curto prazo, o mercado de ações é uma máquina de votar; no longo prazo, é uma máquina de avaliar.' Somos uma empresa que quer ser avaliada no longo prazo, como ocorre com todas as organizações, com o passar do tempo."

Uma decisão errada é melhor do que a falta de decisão

Drucker: "As decisões sobre prioridades devem ser tomadas 'de maneira deliberada e consciente'. É melhor tomar a decisão errada e executá-la do que permitir que os acidentes do negócio, por falta de decisões, estabeleçam as prioridades."

Bezos: Um dia lhe perguntaram sobre as decisões de investimentos da Amazon que não deram certo: "Você toma decisões demais para não fazer apostas erradas", retrucou sem hesitar. No entanto, se a alta administração "não cometer alguns erros graves em nossos investimentos, não faremos um bom trabalho para nossos acionistas, pois não estaremos correndo grandes riscos capazes de gerar excelentes resultados. É importante *esperar* que erros aconteçam."

Assuma riscos que beneficiem o amanhã

Drucker: "É claro que inovar é arriscado. Mas ir ao supermercado para comprar pão também é. Toda atividade econômica é, por definição, de alto risco. E defender o passado – ou seja, não inovar – é muito mais arriscado que construir o futuro."

Bezos: Desde o começo, Bezos não teve medo de assumir riscos calculados: "Nossas decisões sobre investimentos serão ousadas, jamais tímidas, sempre que constatarmos probabilidade suficiente para conquistar vantagens que reforcem nossa liderança do mercado. Alguns desses investimentos serão compensadores, outros não, mas em ambos os casos aprenderemos outra lição valiosa." Em 2000, ele acrescentou: "Muitos de vocês já me ouviram falar das apostas ousadas que a empresa fez e continuará a fazer. Elas abrangem tudo, desde os investimentos em tecnologias digitais e sem fio até as decisões de investir em pequenas empresas de comércio eletrônico."

Os objetivos representam a estratégia

Drucker: "Os objetivos devem ser definidos com base em 'Qual é, qual será e qual deve ser nosso negócio?'. Eles não são abstrações. São compromissos de ação por meio dos quais a missão do negócio se realiza e são padrões ou paradigmas com base nos quais o desempenho do negócio é avaliado. Os objetivos, em outras palavras, representam a estratégia fundamental do negócio."

Bezos: Ele definiu com coerência os objetivos da companhia. "Nossa visão é usar essa plataforma para construir a empresa mais focada nos clientes em todo o planeta, por meio da qual os clientes encontrem tudo e qualquer coisa que queiram comprar on-line. Mas não faremos isso sozinhos, e sim estabelecendo alianças com milhares de parceiros de todos os portes. Ouviremos os clientes, criaremos produtos e serviços que interessem a eles e personalizaremos nossa loja para cada um dos consumidores, sem poupar esforços para merecer sua confiança."

Crescer por meio de alianças estratégicas

Drucker: Na opinião dele, as organizações que quisessem ter acesso a novos mercados ou tecnologias deveriam buscar alianças estratégias, por meio de parcerias, joint ventures ou participações minoritárias, evitando aquisições de companhias: "Essas entidades, em vez do modelo tradicional de empresas de participação e de subsidiárias integrais, se transformam cada vez mais em modelos de crescimento, sobretudo na economia global."

Bezos: Ele investiu em farmácias, casas de leilões e supermercados virtuais. No entanto, sua iniciativa mais revolucionária é o que a Amazon denominou zShops, uma espécie de shopping center on-line, que oferece aos clientes acesso a milhares de comerciantes, que pagam taxas mensais à Amazon. Essa foi uma das mais importantes estratégias de Bezos: "Realmente não nos importa se vendemos algo por meio das zShops ou diretamente pela própria Amazon. Isso é irrelevante. Não se pode vender tudo por conta própria. É preciso se aliar a terceiros."

Os resultados são incontestáveis. Sem dúvida, a estratégia de administração a longo prazo de Bezos tem sido compensadora. Dez anos depois da abertura do capital, o faturamento anual da empresa chegou a US$ 13 bilhões. O preço inicial da ação era de US$ 1,50. Atualmente, sua cotação flutua no nível de US$ 85, resultando em valor de mercado superior a US$ 33 bilhões – mais que a General Motors e a Xerox juntas. Hoje, o índice preço-lucro das ações da empresa é superior a 90, demonstrando que os investidores estão extremamente otimistas em relação ao futuro.

O Drucker estratégico

A estratégia começa com a pergunta básica "Qual é o nosso negócio?". "Os objetivos devem ser definidos com base em 'Qual é, qual será e qual deve ser o nosso negócio?'", explicou Drucker. Ele também afirmou: "Definir o propósito e a missão do negócio é difícil, doloroso e arriscado. Mas só assim a empresa estabelece objetivos, desenvolve estratégias, concentra recursos e parte para a ação. Só dessa maneira ela pode ser gerenciada tendo o desempenho como foco."

"A estrutura segue a estratégia, que determina as atividades-chave da companhia. A elaboração da estratégia requer que se defina qual é e qual deve ser o nosso negócio." Drucker também explicou que "a estrutura certa não garante resultados". No entanto, a estrutura inadequada impossibilitará que os objetivos do empreendimento sejam alcançados. A estrutura organizacional "deve enfatizar resultados verdadeiramente significativos, ou seja, resultados relevantes para o conceito, as prioridades, as oportunidades e a excelência da companhia".

Capítulo 13

A quarta revolução da informação

"Uma nova revolução da informação já está em curso. Começou nos empreendimentos de negócios, com informações sobre empresas, mas sem dúvida vai abarcar todas as instituições. E mudará radicalmente o significado da informação para organizações e indivíduos."

UM DOS PONTOS FORTES de Drucker era sua capacidade de inserir qualquer evento em um contexto compreensível para quase todo mundo. A. G. Lafley, presidente do conselho de administração e diretor executivo da Procter & Gamble, manteve estreito relacionamento com ele durante anos e afirmou: "Uma das características que tornavam Drucker extraordinário era seu dom de transformar a complexidade em simplicidade. Sua curiosidade era insaciável e ele nunca parava de fazer perguntas." Lafley observou que Drucker se considerava um ecologista social, porque, ao interpretar o mundo, ele nunca restringia suas ideias apenas aos negócios, mas também levava em conta aspectos da história, antropologia, arte, literatura, sociologia, economia e outras disciplinas.

Drucker deve sua ampla visão de mundo ao ambiente em que passou a infância e o início da juventude. Criado em Viena, ele conviveu com artistas, políticos e uma ampla variedade de intelectuais criativos, que se reuniam quase todas as noites em sua casa.

Sua educação clássica e seus primeiros empregos como jornalista e editor, em Frankfurt, e depois num banco, em Londres, lhe ofereceram a oportunidade de se relacionar com os mais variados tipos de profissionais, o que contribuiu para ampliar ainda mais sua visão de mundo. Suas previsões absolutamente exatas sobre Hitler e o Holocausto e sobre o Pacto Germano-Soviético, pouco antes da Segunda Guerra Mundial, confirmaram suas habilidades proféticas.

Drucker desenvolveu uma capacidade notável de reconhecer momentos decisivos na história e os analisou sob diferentes ângulos, em diversas épocas, em vários livros. Mudando suas perspectivas, ele era capaz de mostrar o impacto de um acontecimento ou de uma invenção sobre os gestores e suas organizações, ao mesmo tempo que proporcionava aos leitores condições para rastrear a evolução de suas ideias a respeito de uma variedade de tópicos.

O melhor exemplo desse dom é a maneira como Drucker relatou o papel da informação e do conhecimento, em constante mutação, e seu impacto sobre as organizações e a sociedade. Ele explorou o panorama geral de como a informação – seu uso e suas aplicações – definiu diferentes eras ao longo da história. Analisou a tecnologia da informação e seus efeitos sobre as decisões gerenciais, para o melhor ou para o pior, e, surpreendentemente, durante muitos anos, desenvolveu um argumento convincente para o pior.

Também analisou as informações recebidas pelos gestores, estendendo-se sobre suas diferentes modalidades, suas formas de recepção e suas influências sobre a maneira como percebem a função gerencial, a organização e o mundo exterior. Ele também mostrou como tudo isso transformou a essência das organizações e da sociedade em geral. Este capítulo é dedicado às ideias de Drucker a respeito do impacto da informação nas organizações e na sociedade e sobre como esses efeitos evoluíram ao longo do período de mais de 50 anos em que ele antecipou o tema em suas obras.

Primeiras ideias

Em 1954, em *A prática da administração de empresas*, Drucker escreveu sobre a informação no contexto de seu uso para o aumento da produtividade dos executivos: "Cada gestor deve receber as informações indispensáveis à avaliação do próprio desempenho, com rapidez suficiente para realizar as mudanças necessárias visando a alcançar os resultados almejados. E elas devem se destinar ao próprio gerente, não a seu supervisor, como ferramentas de autocontrole, não de controle de cima para baixo." E acrescentou: "Os gerentes só poderão ser plenamente responsabilizados pelos resultados se dispuserem de todas as informações referentes às suas atividades."

Em meados da década de 1950, Drucker considerava a informação uma ferramenta gerencial *interna*, em vez de algo que ajudaria os gestores a compreender melhor o mundo exterior, assunto que se tornou tema dominante em seus livros posteriores.

Em *O gerente eficaz*, por exemplo, ele reuniu dois de seus principais temas: os limites da contribuição das máquinas para o processo decisório e para a eficácia gerencial e a importância de cultivar a perspectiva de fora para dentro. Explicou que as maiores empresas se concentram em questões erradas: "No entanto, quanto maior e, à primeira vista, mais bem-sucedida for a organização, mais os eventos internos tenderão a absorver a atenção, a energia e a capacidade dos executivos, em detrimento de suas verdadeiras tarefas e de sua eficácia em relação ao ambiente externo."

Ainda naquela época, acrescentou: "Esse perigo está sendo agravado hoje pelo surgimento do computador e da nova tecnologia da informação. Como imbecil mecânico, o computador é capaz de lidar apenas com dados quantificáveis. No entanto, de um modo geral, só se pode quantificar o que se desenrola dentro da organização. Os acontecimentos relevantes do mundo exterior raramente estão disponíveis em forma quantificável, a não ser quando já é tarde demais para fazer algo a respeito deles."

Advertir os gestores quanto aos limites e perigos potenciais das máquinas foi tema comum de muitos dos livros de Drucker. Em *Management: Tasks, Responsibilities, Practices* (Administração: tarefas, responsabilidades, práticas), de 1973, ele escreveu sobre o excesso de dependência em relação aos computadores: "Quando chega o novo computador, inicia-se uma busca frenética por coisas que ele possa fazer. No fim das contas, a máquina acaba sendo usada para produzir pilhas infindáveis de informações que ninguém quer, precisa ou utiliza. O uso da máquina se transforma num fim em si mesmo. Em consequência, ninguém tem informações."

Para Drucker, as organizações necessitam de pessoas capazes de formular as perguntas certas: "O que a alta administração precisa para tomar decisões – e não só as decisões de hoje, mas também as de amanhã?"

Esse foi um questionamento clássico de Drucker. Ele nunca se apaixonou pela tecnologia ou por qualquer outra muleta em que os gestores se escorassem a fim de pensar menos ou se esquivar das perguntas difíceis. Porém, com o decorrer do tempo, as ideias dele sobre informação – e sua importância para as organizações e os gestores – passaram por uma transformação drástica, na medida em que ele começou a encarar a eficácia com que as organizações usavam as informações como genuíno vetor de mudança. As empresas que lidam com a informação para compreender melhor o *ambiente externo* – clientes, mercados e concorrentes, por exemplo – têm uma vantagem em comparação com as que a usam apenas como ferramenta de controle interno.

O surgimento da nova organização

No fim da década de 1980, Drucker conceituou de maneira mais completa a organização do futuro, contrastando-a com as hierarquias rígidas do passado. Em 1988, ele escreveu um artigo visionário, publicado na *Harvard Business Review*, sob o título "The Coming of the New Organization". Nele, definiu a empresa do futuro pela maneira como ela explorava a informação para conquistar vantagem competitiva. Para contextualizar essa organização emergente, ele descreveu três fases da evolução das companhias.

A primeira fase se desenvolveu no começo do século XX, quando barões industriais, como J.P. Morgan e Andrew Carnegie, abriram o caminho para os gestores profissionais. "E, assim, a administração se estabeleceu como trabalho e como tarefa em si mesma", explicou Drucker.

A segunda fase, que deu origem à organização moderna, começou na década de 1920, quando os gestores profissionais Pierre du Pont e Alfred Sloan estruturaram suas companhias como grandes hierarquias de comando e controle, modelo que prevaleceu durante boa parte do século XX e que ainda sobrevive em muitas empresas atuais.

A terceira fase se caracterizou pela "transformação da organização de comando e controle, composta de departamentos e divisões, em organização de detentores de conhecimentos especializados, baseada em informações".

"Embora talvez com pouca nitidez, percebemos como será essa nova organização. Já somos capazes de identificar algumas de suas principais características e necessidades. Mas também temos condições de apontar alguns de seus problemas de valores, estrutura e comportamento. No entanto, a tarefa de efetivamente construir a organização baseada em informações ainda está à nossa frente – é o desafio gerencial do futuro", afirmou Drucker.

As novas revoluções da informação

Uma década depois da publicação do artigo da *Harvard Business Review*, Drucker aprimorou suas ideias ao desenvolver a teoria das "quatro revoluções". Em *Desafios gerenciais para o século XXI*, de 1999, descreveu uma nova revolução da informação, que exercerá profunda influência sobre todas as organizações no mundo inteiro.

Drucker descreve sua nova revolução de maneira bem clara: ela não está ocorrendo nos sistemas de informações gerenciais (SIG) nem na tecnologia da informação (TI), tampouco está sendo implementada pelo diretor de informática. Ele a denominou "revolução em *conceitos*".

Durante 50 anos a tecnologia da informação "se concentrou em *dados* – mais especificamente, na coleta, no armazenamento, na transmissão e na apresentação de dados. Em outras palavras, enfatizou o aspecto tecnológico da TI. A nova revolução se concentra no aspecto informacional da TI", explicou ele.

As revoluções de hoje estão mudando as perspectivas dos gestores. Atualmente, estes pedem mais que apenas dados: solicitam informações que os ajudem a tomar decisões mais eficazes. Em vez de examinar suas caixas de entrada – sejam elas físicas ou eletrônicas – ou de vasculhar o último relatório financeiro, eles agora questionam a própria razão de ser dos dados. "Para que serve o relatório X? Qual é o propósito do relatório Y?" Consequentemente, as revoluções estão "redefinindo" as informações fornecidas e mudando as atribuições daqueles que as fornecem.

Drucker afirmou corretamente que ele era um dos pouquíssimos que previram o impacto que o computador exerceria sobre o mundo empresarial. No entanto, também presumiu que a máquina influenciaria com mais intensidade a alta administração e seu processo decisório. Sob esse aspecto, ele reconhece que errou feio, porque, ao contrário disso, as principais aplicações dos computadores têm sido *operacionais*.

Ele cita, por exemplo, softwares que possibilitam a arquitetos desenhar as "entranhas" complexas de grandes edifícios ou que permitem que cirurgiões executem cirurgias a distância. "Há 50 anos", explica, "ninguém poderia ter imaginado os softwares usados por grandes fabricantes de equipamentos para organizar suas operações mundiais, entre as quais a fabricação, em torno das necessidades de serviços e de reposições de seus clientes".

Entretanto, apesar dos admiráveis avanços tecnológicos, a posição de Drucker não mudou. Ele continuava a afirmar que a tecnologia da informação pouco ajudava os gestores a decidir *se construiriam ou não* um prédio de escritórios, uma escola ou um hospital, ou *o que fazer* com a nova construção.

Do mesmo modo, os computadores não ajudaram muito os gestores a escolher os mercados em que entrar ou dos quais sair, ou que empresas adquirir. "Para as tarefas da alta administração", explica Drucker, "a tecnologia da informação, até agora, tem produzido mais dados que informações – está longe de suscitar perguntas novas e diferentes ou de elaborar estratégias inéditas e inovadoras".

A razão por que os gestores seniores não estão sendo capacitados pela nova tecnologia tem mais a ver com inércia que com qualquer outra coisa. Desde o início do século XIX, as organizações se baseiam na premissa de que estruturas de custos mais baixas são uma das chaves para o aumento da competitividade. Os relatórios produzidos pelas grandes empresas têm mais a ver com "a preservação de ativos e com a distribuição do espólio em caso de liquidação do empreendimento".

No entanto, por volta da Segunda Guerra Mundial, ocorreu a pensadores como Drucker que a preservação de ativos e o controle de custos não são a maior preocupação da alta administração. Essas são tarefas operacionais.

Isso não significa que uma enorme desvantagem de custos não possa afundar uma empresa. Porém o sucesso nos negócios não se baseia no controle de custos, mas na "criação de valor e de riqueza", afirmou Drucker.

As organizações criam riqueza ao assumir riscos, ao desenvolver novas estratégias e ao abandonar o passado. Porém nada nos atuais sistemas contábeis ajuda os altos executivos a tomar essas decisões. "A frustração da alta administração com os dados fornecidos pela tecnologia da informação deflagrou a próxima revolução da informação." Isso explica a necessidade de um novo modelo de informação, que detonou o que Drucker denomina a Quarta Revolução da Informação.

Para ele, era preciso "definir informação", torná-la mais relevante e mais operacionalizável para os usuários. Como 90% dos relatórios gerenciais ainda descrevem o que ocorre *dentro* da organização, não admira que os gestores tenham perdido a paciência. Nos últimos anos, muitos altos executivos concluíram que precisavam de novos tipos de relatórios, com outras informações e dados, para executar melhor suas funções, e passaram a exigi-los do pessoal de contabilidade e de finanças. Drucker afirmou que esse processo começou quando a alta administração passou a perguntar: "De quais conceitos de gestão precisamos para executar nossas tarefas?"

Ao analisar as quatro revoluções da informação, Drucker manteve notável consistência na crença de que a última fronteira da informação continua inexplorada: "A nova área, e a mais importante, em que ainda não dispomos de métodos sistemáticos e organizados, é a de informações sobre o *contexto externo* da organização. Essas novas abordagens são muito diferentes em suas premissas e origens. O objetivo é fornecer informações, em vez de dados. Elas se destinam à alta administração e são concebidas para fornecer informações úteis ao exercício de atribuições e à tomada de decisões típicas da alta administração."

Drucker encarava a informação como algo que transcenderia os negócios. "A nova Revolução da Informação começou nas empresas, mas transpôs seus limites e agora está a ponto de revolucionar a educação e a assistência médica. Mais uma vez, as mudanças nos conceitos serão, no fim das contas, no mínimo tão importantes quanto os avanços em ferramentas e em tecnologias. Hoje sabe-se que a tecnologia educacional necessita de mudanças profundas, que, por sua vez, promoverão grandes transformações estruturais. O ensino a distância, por exemplo, poderá tornar obsoletas, em 25 anos, as faculdades de ensino superior."

E acrescentou: "No setor de assistência médica, uma mudança conceitual semelhante tende a redefini-la como manutenção de condições físicas e mentais adequadas, em vez de como prevenção e cura de doenças. Nenhum dos atuais provedores de assistência médica, como hospitais, médicos e paramédicos, sobreviverá a essa transformação se também não desenvolver novos atributos que lhe possibilitem exercer as novas funções."

Drucker concluiu que, tanto na área da educação quanto na da assistência médica, a maior modificação será quando os dados se transformarem em informações. A seguir, apresento algumas lições extraídas de sua análise detalhada sobre as mudanças no papel da informação na esfera empresarial:

- **A informação é mais operacionalizável quando trata do contexto externo: clientes, não clientes e mercado.**
  Do contrário, não passa de dados. Obter esse tipo de informação dependerá da demanda, que, por sua vez, será induzida pela compreensão dos gestores de que precisam aumentar a produtividade para competir de maneira mais eficaz.
- **Ajude os colegas de trabalho – por exemplo, contadores e especialistas em sistemas de informações gerenciais – a se conscientizar da importância de obterem informações do contexto externo.**
  Então trabalhe em equipe com esses profissionais para definir exatamente o que é preciso inovar para desenvolver as bases do futuro.
- **Não espere por iniciativas dos contadores ou dos especialistas em sistemas de informações gerenciais.**
  O tipo de transformação a que Drucker se refere – o novo foco nas informações do contexto externo – pode levar anos. Seja proativo para obtê-las. Passe de duas a quatro horas por semana pesquisando os sites dos concorrentes, no mercado, consultando os clientes e fazendo qualquer outra coisa que lhe diga mais sobre o que está acontecendo do lado de fora dos muros de sua própria organização.

A revolução da eletrônica e o poder da impressão

Drucker escreveu sobre essas revoluções da informação no fim da década de 1990, depois que a internet já havia começado a transformar muitos setores. Porém, mais uma vez, foi ele quem viu além do óbvio, sem se deixar ofuscar pelo sensacionalismo da então denominada Nova Economia, exaltada em livros e artigos como utopia pós-moderna, na qual não mais valiam as antigas regras de negócios.

Embora muita gente acreditasse que a internet causaria o fim do livro impresso, Drucker compreendeu que a nova tecnologia, ao contrário, fortaleceria a mídia impressa, conforme descreveu em *Desafios gerenciais para o século XXI*: "A mídia impressa está superando os canais eletrônicos", escreveu. E ainda lembrou que a Amazon.com, "em muito pouco tempo", se tornara a maior varejista on-line do mundo.

E não foram apenas os livros que se beneficiaram com a internet: "Cada vez mais revistas de massa especializadas agora dispõem de uma edição on-line, divulgada pela internet, que pode ser impressa pelo assinante. Em vez de a TI levar ao fim da indústria editorial, esta vem assumindo o controle da tecnologia eletrônica como canal de distribuição de *informações impressas*", argumentou Drucker.

No entanto, a realidade não é tão simples assim. "Os novos canais de distribuição decerto transformarão o livro impresso. Inovações nesses canais sempre provocam mudanças naquilo que é distribuído. Independentemente da forma de distribuição, os livros fornecerão conteúdo", afirmou Drucker.

"Além da revolução da informação"

Em 1999, Drucker escreveu outro artigo em que elaborou ainda mais suas ideias sobre o tema. Intitulado "Beyond the Information Revolution", a matéria foi publicada, pela primeira vez, na revista *The Atlantic Monthly*, e depois compilada em um dos últimos livros de Drucker, *A administração na próxima sociedade*. Nessa obra, ele fornece novas ideias sobre a revolução da informação, ao analisar o advento do comércio eletrônico e seu lugar e impacto na revolução da informação. No trecho a seguir, ele examina outro aspecto da revolução da informação:

"Mal se está começando a sentir o verdadeiro impacto da Revolução da Informação. Mas não é a 'informação' que gera o impacto. Não é a 'inteligência artificial'. Não é o efeito dos computadores sobre a tomada de decisões, a formulação de políticas nem o desenvolvimento da estratégia. Trata-se de algo que praticamente ninguém previu e que nem mesmo foi tema de conversas: a eclosão explosiva da internet, talvez como o principal canal de distribuição mundial de bens, de serviços e, surpreendentemente, de trabalho gerencial e profissional. Esse fenômeno está mudando de maneira profunda as economias, os mercados e as estruturas setoriais; os produtos e serviços e seus fluxos; a segmentação dos consumidores, bem como seus valores e comportamento; os empregos e o mercado de trabalho. O impacto, no entanto, pode ser ainda maior na sociedade e na política, e, acima de tudo, na maneira como vemos o mundo e encaramos nossa participação nele."

No artigo mencionado, ficou claro que Drucker não só acreditava que a tecnologia da informação pode transformar as organizações e os mercados, mas também que ele era um crente fervoroso e entusiástico nas possibilidades do novo veículo.

"Ao mesmo tempo, novos setores inesperados sem dúvida emergirão, e com rapidez", ele afirmou e citou a biotecnologia como exemplo. "É provável que outras tecnologias despontem de repente, trazendo consigo novos ramos de atividades importantes. Não há como adivinhar quais serão. Porém, é altamente plausível – na verdade, quase certo – que elas emergirão, e muito em breve. E também é praticamente indubitável que algumas delas – e outros setores nelas baseados – terão como origem o computador e a tecnologia da informação."

Ele prosseguiu: "Evidentemente, trata-se apenas de previsões. Mas esses prognósticos se baseiam na premissa de que a Revolução da Informação irá se desenvolver, como várias outras 'revoluções' tecnológicas anteriores também evoluíram nos últimos 500 anos, desde que Gutemberg criou a prensa e transformou o mundo. Em especial, o pressuposto é que a Revolução da Informação seja como a Revolução Industrial do fim do século XVIII e início do XIX."

"A Revolução da Informação se situa agora no ponto em que se encontrava a Revolução Industrial no começo da década de 1820, cerca de 40 anos depois que James Watt aprimorou a máquina a vapor. As primeiras fábricas da Revolução Industrial – de algodão, produtos têxteis, artefatos de ferro e equipamentos ferroviários – criaram setores de crescimento espetacular, que produziram milionários da noite para o dia. Os que emergiram depois de 1830 também permitiram que várias pessoas enriquecessem, mas para tanto foram necessários 20 anos de trabalho duro, luta, decepções e fracassos. O mesmo tende a ocorrer com os setores que se desenvolverão de agora em diante. É o que já está acontecendo com a biotecnologia", argumentou Drucker.

Por fim, Drucker ressaltou que atrair e reter os melhores profissionais talvez seja o fator crítico de sucesso mais decisivo, isoladamente, nas organizações do futuro. E enfatizou que o dinheiro não era a resposta: "Subornar os trabalhadores do conhecimento, de quem essas indústrias tanto dependem, simplesmente não funcionará. Cada vez mais, o desempenho desses setores intensivos em conhecimento exigirá que se dirijam os empreendimentos para atrair, reter e motivar esses profissionais. Quando isso já não for suficiente para lhes saciar a ganância, como tentamos fazer hoje, será necessário satisfazer seus valores e lhes proporcionar reconhecimento e poder social. Portanto, será necessário promovê-los de subordinados a gestores e convertê-los de funcionários, por mais bem remunerados que sejam, em parceiros."

A quarta revolução da informação

A evolução das ideias de Drucker sobre as revoluções da informação nos dizem muito a respeito dele. De início, ele encarou a informação como ferramenta interna para avaliar o desempenho. Mas, no decorrer do tempo, passou a considerar cada vez mais importante usar a informação como ferramenta para ajudar os gestores a compreender melhor o contexto externo – por exemplo, clientes, concorrentes e mercados. No entanto, já nos últimos anos da década de 1990, Drucker lamentava o fato de 90% das informações produzidas pelas organizações ainda se referirem ao ambiente interno. O maior impulso para a mudança será dado por altos executivos cada vez mais frustrados, em busca de informações confiáveis sobre clientes, não clientes e mercados.

Drucker, entretanto, via a informação sob várias perspectivas ao mesmo tempo. Ele foi um dos primeiros a reconhecer que os computadores exerceriam grande impacto sobre os negócios, mas também se deu conta de suas limitações. As máquinas eram "imbecis mecânicos" e jamais substituiriam os gestores na tomada de decisões difíceis.

Também encarou as revoluções da informação como marcos da história, que separavam uma era da seguinte. A quarta revolução da informação não é inédita, mas introduzirá novos setores, que ainda não podemos afirmar quais serão. Talvez sejam necessários 20 anos de trabalho árduo para efetivamente transformar a situação atual.

Por fim, Drucker ressaltou a valorização das pessoas acima da tecnologia. As organizações vencedoras de amanhã serão as que atraírem e retiverem profissionais de excelente desempenho, não com opções sobre ações e outros incentivos financeiros, mas elevando-os de subordinados a parceiros.

Capítulo 14

A tarefa mais importante do líder

"É preciso tornar a organização capaz de prever as tempestades, de transpô-las e, por fim, de navegar à frente delas."

Em muitos de seus livros, Drucker deixou bem claro que todos os gestores devem estar preparados para agir de maneira proativa em relação aos desastres iminentes. "Liderar é navegar com mau tempo", declarou em 1990. E me explicou: "Os hospitais adoram crises", mas elas não se limitam aos prontos-socorros. Todos os líderes precisam se manter em constante estado de alerta para enfrentá-las. "A tarefa mais importante do líder de uma organização é se antecipar às crises. Talvez não para as evitar, mas a fim de estar de prontidão para encará-las e transpô-las. Esperar até que a crise comece é abrir mão da responsabilidade de líder", disse.

Drucker direcionou a conversa para um de seus tópicos favoritos: as organizações sem fins lucrativos. Não se tratava de algo que eu pretendesse conversar com ele, pois nunca imaginara escrever um livro para gestores de entidades dessa natureza. Para falar a verdade, eu sempre considerara as organizações sem fins lucrativos "mais fáceis" de dirigir que uma unidade operacional ou uma empresa que pode ter tanto lucros quanto perdas. Porém duas coisas logo ficaram claras: primeiro, esse era um tema que inspirava Drucker e, segundo, muitas das principais lições para gestores de organizações sem fins lucrativos também são relevantes para os profissionais que dirigem empresas criadas para dar lucro.

Ele começou a trabalhar com entidades sem fins lucrativos já no início da década de 1950. Ao longo dos anos, atuou em organizações como o Exército da Salvação, a Cruz Vermelha americana, a American Heart Association e sua igreja episcopal local, em La Verne, Califórnia, em geral sem receber honorários.

Nos anos 1980, ele percebeu que as entidades sem fins lucrativos precisavam ainda mais dele e de sua sabedoria em gestão que as empresas com fins lucrativos, por duas razões específicas. Primeiro, me contou ele, "muitas organizações sem fins lucrativos, sobretudo as maiores, não têm um senso de missão claro". Porém, ele sentia que o segundo problema era ainda mais preocupante: "A questão é que as organizações sem fins lucrativos não geram resultado financeiro. E, embora o lucro seja um indicador muito precário, é ao menos uma disciplina."

Foi quando repeti para Drucker um de seus princípios favoritos: "Dentro das organizações, não há centros de lucros, apenas centros de custos."

"É pior do que isso", ele retrucou sem hesitação. E observou que a maioria das organizações sem fins lucrativos, sobretudo as que atuam junto a comunidades locais, quando não alcançam os resultados almejados, simplesmente fazem mais do mesmo. "E, assim, não descartam nada. E concentram os profissionais mais capazes onde são improdutivos." "Concentrar as melhores pessoas onde não geram resultados" é mais um druckerismo e um princípio importante para empresas e entidades sem fins lucrativos.

Navegar com mau tempo

Embora Drucker achasse que as organizações sem fins lucrativos tivessem que lidar com suas próprias questões específicas, ele também compreendeu, antes de qualquer outra pessoa, que essas entidades precisavam ser gerenciadas. Explicou que os entrevistadores de televisão e rádio presumiam que as organizações sem fins lucrativos o contratavam apenas para que ele as ajudasse a arrecadar fundos. Ele contestava essa suposição: "Trabalhamos juntos para compreender melhor a missão, a liderança e a administração dessas instituições." Ao que se seguia imediatamente o questionamento: "Isso é gestão de *empresas*, não é?" Os jornalistas se mostravam céticos, como se as organizações sem fins lucrativos fossem empreendimentos unidimensionais, cuja sobrevivência dependia apenas de entradas de caixa.

Drucker combatia essa visão. Ele argumentava que "as instituições sem fins lucrativos carecem ainda mais de boa administração que as empresas, pois não contam com o 'resultado financeiro' convencional como parâmetro. Sabem que precisam aprender a usar a gestão como ferramenta para não serem esmagadas por ela. Também sabem que necessitam da administração para se concentrarem na missão".

Foram esses conceitos que o levaram a escrever o livro *Administração de organizações sem fins lucrativos*, que foi ignorado pela maioria dos executivos por motivos óbvios. No entanto, ao desprezá-lo, os gestores perderam alguns dos trechos mais interessantes de Drucker sobre liderança. Muitos dos trechos deste capítulo foram extraídos daquele livro tão pouco lido.

Se o mercado crescer, cresça com ele

Ironicamente, uma das outras causas das crises é o sucesso. "Problemas decorrentes do sucesso arruinaram mais organizações que as dificuldades provocadas pelo fracasso, em parte porque, se as coisas saem erradas, todos sabem que é preciso trabalhar", escreveu Drucker. "O sucesso cria sua própria euforia. Você esgota os recursos e deixa de ser produtivo, embora ainda trabalhe, o que talvez seja a tendência mais difícil de combater."

Drucker recorreu à própria carreira como exemplo básico. Ele deixou a New York University depois de 20 anos porque sua escola de graduação em negócios – hoje a Stern School of Business – resolveu se retrair, em vez de se expandir, para atender à demanda crescente de uma população estudantil em crescimento. A universidade gerou a própria crise ao decidir não crescer, mesmo quando as condições de mercado sugeriam que uma decisão como aquela era inconcebível.

Quando Drucker foi para Claremont, Califórnia, com o propósito de fundar uma escola de administração, ele se empenhou em fazer as coisas certas. "Fiz questão de não crescer demais. Tive o cuidado de reunir um corpo docente de primeira classe, mas enxuto, de contar com professores adjuntos, em tempo parcial, e de formar uma equipe de administração forte. Assim, somos capazes de dirigir com sucesso. Se o mercado crescer, você precisa crescer com ele, do contrário pode acabar se isolando."

As competências-chave

Para que uma organização conquiste o sucesso – e o *mantenha* –, sua equipe de alta administração deve ser capaz de permanecer um passo à frente da tempestade iminente. Drucker chama isso de "inovação, renovação constante".

"Não se pode evitar uma grande catástrofe, mas pode-se construir uma organização pronta para a batalha, que tem alto nível de motivação, enfrentou outras crises, sabe se comportar e confiar em si mesma, na qual as pessoas acreditam umas nas outras. Em termos militares, a primeira regra é instilar nos soldados confiança nos oficiais, pois, sem ela, não lutarão", declarou ele.

Drucker também descreveu o tipo oposto de líder. Para ele, nem todo mundo tem medo de crises: "Algumas pessoas se preparam muito bem para as crises. E odeiam tudo o mais."

Ele citava Winston Churchill como exemplo vívido de alguém que florescia sob intensa pressão. Drucker o considerava o líder mais bem-sucedido do século XX. No entanto, durante 12 anos, de 1928 à Retirada de Dunquerque – quando mais de 300 mil soldados aliados foram evacuados com sucesso –, o estadista inglês foi, na melhor das hipóteses, um observador, "quase desacreditado, pois não havia necessidade de um Churchill", explicou Drucker.

Quando ocorreu o desastre e a Inglaterra foi forçada a declarar guerra à Alemanha, em 1939, Churchill emergiu como figura importante e decisiva na época. A admiração era recíproca: o estadista um dia declarou que "o surpreendente em Peter Drucker é sua capacidade de desencadear em nossas mentes uma linha de pensamento instigante".

O inventor da administração moderna afirmou: "Felizmente ou infelizmente, se há alguma coisa em comum em todas as organizações, é a crise. Ela é inevitável. E é durante as crises que *mais* se depende do líder."

Ele reconhecia que líderes como Churchill eram de fato raros. "Mas, felizmente, outro grupo é muito comum. São as pessoas que deparam com novas situações e dizem: 'Não foi para isso que fui contratado, nem era isso que eu esperava fazer, mas é isso que a função exige', e, então, arregaçam as mangas e põem mãos à obra", escreveu Drucker.

"Todos os líderes têm seu momento da verdade. Há certa profundidade nessa afirmação, mas a realidade não é assim tão simples", escreveu Drucker. "Em tempos de paz, Churchill não teria sido muito eficaz. Ele precisava de desafios. Provavelmente, o mesmo ocorria com Franklin Roosevelt, que era um homem preguiçoso", afirmou Drucker. "Não acredito que Roosevelt teria sido um bom presidente na década de 1920. Seu organismo não teria produzido adrenalina suficiente."

Mas ele também reconheceu: "Certas pessoas são muito boas em lidar com a rotina, mas não toleram o estresse das emergências. A maioria das organizações precisa de alguém capaz de liderar quaisquer que sejam as circunstâncias. O importante é que o profissional trabalhe com as competências básicas." Ele tinha ideias muito claras sobre os atributos necessários para liderar nos bons e nos maus tempos e os descreveu sem hesitação:

- **"Disposição, capacidade e autodisciplina para ouvir" encabeçavam a lista de Drucker como as competências mais importantes para o líder "preparado para comandar em todas as circunstâncias".**
  "Todos podem fazer isso", insistia. "Só precisam ficar de boca fechada."
- **Outra competência importante é "a disposição para se comunicar, para se fazer compreender".**
  "Isso exige paciência infinita. Sob esse aspecto, nunca ultrapassamos os 3 anos de idade", escreveu Drucker. "Você precisa repetir a mesma coisa várias vezes. E demonstrar o que quer dizer."

- **A terceira competência é "não procurar desculpas".** Drucker acreditava que os líderes que comandam bem em circunstâncias adversas assumem responsabilidade pelos fracassos e insistem em padrões de excelência: "Ou fazemos as coisas com perfeição ou não fazemos."
- **A última competência é "a capacidade de compreender que as tarefas são muito mais importantes do que eles próprios".** Para Drucker, os líderes precisam ter certo grau de distanciamento. "Eles se subordinam à tarefa, mas não se identificam com ela. A tarefa continua sendo ao mesmo tempo maior do que o líder e diferente dele." Afirmou que a maior demonstração de fracasso de um líder é o desmoronamento da organização com a sua saída. "Isso é um sinal de que o líder não teve a preocupação de construir. Pode ter sido um profissional eficaz no aspecto operacional, mas não criou visão", escreveu Drucker. Os líderes devem se tornar servos das tarefas a serem executadas pela organização.

Para Drucker, mesquinharia e egolatria são barreiras à liderança eficaz. E, mais uma vez, se referiu a Churchill e a Roosevelt para estabelecer o contraste entre dois tipos de líder. Acreditava que um dos principais pontos fortes de Churchill era o incentivo à carreira de jovens políticos, mesmo já em idade avançada – como fazia Drucker. "Essa é a marca registrada dos líderes realmente eficazes, que não se sentem ameaçados pela capacidade alheia. Roosevelt, por outro lado, em seus últimos anos, eliminava sistematicamente qualquer pessoa que demonstrasse sinais de independência." Essa foi uma das afirmações mais controversas de Drucker; afinal, Roosevelt foi um dos presidentes americanos mais amados do século XX, além de líder com atributos notáveis.

Líderes que venceram por esforço próprio

Ao escrever sobre líderes eficazes em circunstâncias adversas, Drucker comparou os líderes natos com os que adquiriam suas habilidades ao longo da carreira. "A maioria não nasceu líder nem foi feita líder, mas se fez líder. A demanda por líderes é muito grande para ser satisfeita apenas pelos natos." O ex-presidente Harry Truman é um de seus exemplos favoritos de alguém que não era líder nato nem treinado, mas que promoveu o próprio desenvolvimento para se transformar em líder eficaz.

"Ao se tornar presidente, Truman estava totalmente despreparado para assumir o cargo", afirmou Drucker, que também disse que Roosevelt o escolheu como sucessor justamente por não o considerar uma ameaça. Drucker se impressionou com a filosofia de Truman de assumir a responsabilidade. Ainda mais importante: mesmo que não tivesse experiência em política externa, ele logo compreendeu o fato de que seu foco deveria convergir para assuntos internacionais. Portanto, fez aquela pergunta tão importante: "O que precisa ser feito?"

"Ele se obrigou a fazer um curso rápido sobre política externa e a se concentrar – por mais difícil que fosse – em suas novas tarefas."

Mas Truman não foi o único líder que Drucker respeitava. Embora achasse o general Douglas MacArthur bastante arrogante, também o considerava um homem brilhante e raro estrategista. Porém, sua grande força não era nem a inteligência nem a mente estratégica. "MacArthur formou uma equipe de primeira classe porque colocava as tarefas em primeiro lugar", explicou. Um de seus segredos foi dirigir reuniões da maneira oposta ao seu jeito de ser: apesar de seu ego gigantesco, MacArthur era bastante disciplinado para ouvir com atenção o oficial de mais baixa patente em qualquer reunião. Esse era um exercício bem difícil e inesperado para o general, mas ele se empenhava em agir assim, pois sabia que o sucesso de sua unidade dependia disso. Para Drucker, esse atributo foi definitivo na luta e vitória de MacArthur contra forças muito mais poderosas que as suas.

O equilíbrio é a chave

Drucker acreditava que um dos grandes desafios dos líderes era promover o equilíbrio entre o excesso de cautela e o de impulso. Ele disse que se considerava o tipo de pessoa que esperava resultados cedo demais. Para contrabalançar essa tendência, ele reduzia suas expectativas. "Se eu esperava que algo acontecesse em três meses, me esforçava para só contar com o resultado em cinco meses. Mas também há quem diga três anos quando deveria dizer três meses. Como dizia Aristóteles, o importante é conhecer a si mesmo, ou seja, reconhecer suas tendências."

Drucker conheceu mais empresas prejudicadas pelo conservadorismo e pela indecisão que pela ousadia e pela tolerância aos riscos. "Talvez eu tenha muita consciência disso por ter sido bastante cauteloso quando dirigi ou participei da direção de instituições. Eu não assumia riscos, principalmente os riscos financeiros que eu poderia ter aceitado", disse ele.

Ele também argumentou que era preciso "tomar decisões equilibradas entre oportunidade e risco. Primeiro deve-se perguntar: a decisão é reversível? Se for, em geral não há problema em aceitar riscos consideráveis. Então, deve-se perguntar se temos condições de assumir o risco", explicou. Obviamente, o gestor não deve correr riscos que podem arruinar a organização. Um ou outro contratempo é tolerável, mas o futuro da companhia não deve ser comprometido por uma única decisão errada.

Uma das situações mais difíceis para os gestores é dizer sim a algo que envolve grandes riscos, mas cujos efeitos são muito positivos. Drucker descreveu um caso pessoal para explicar a situação. Ele era membro do conselho de administração de um museu quando a instituição deparou com a oportunidade de comprar uma coleção de arte enorme e caríssima a um preço além de suas possibilidades financeiras imediatas. Mesmo assim, o museu não descartou de pronto a chance de fazer tal aquisição. Quando os demais conselheiros perguntaram a Drucker o que fazer, a resposta dele foi: "Danem-se os riscos, vamos comprá-la. É nossa última chance. A coleção nos elevará ao patamar de museus de primeira classe. Conseguiremos o dinheiro de um jeito ou de outro."

Quando reli *Administração de organizações sem fins lucrativos*, depois de ter entrevistado Drucker, dois fatos me impressionaram. Primeiro, esse foi um dos poucos livros em que ele descreve histórias e casos pessoais, à exceção de sua autobiografia.

O outro é que, apesar de sua tendência de não reconhecer o próprio valor, ele foi um gestor melhor do que sempre admitiu. Ele me disse que nunca havia gerenciado nada, que não sabia nada sobre "administração do ponto de vista de quem trabalha na organização". Mas participou da formação e da direção da então Peter F. Drucker Graduate School of Management, da Claremont Graduate University. Também contribuiu para muitas decisões de centenas de empresas e de organizações sem fins lucrativos durante vários anos. Ao se declarar "o pior gestor do mundo" e um profissional "sem experiência", estava exagerando. Como professor, consultor e mentor, ele desempenhou papel fundamental em mais decisões que a maioria dos diretores executivos durante toda a vida.

A tarefa mais importante do líder

Um dos maiores erros das empresas e das organizações sem fins lucrativos é "alocar as melhores pessoas onde não produzem resultados". Se não for corrigido, esse erro pode gerar crises. Parece um problema óbvio, mas é comum que os recursos humanos sejam mal distribuídos. Para ter a certeza de não cometer o mesmo erro, faça uma lista de seus principais profissionais e dos resultados que obtiveram no ano anterior. Será que as melhores pessoas estão onde podem fazer as maiores contribuições, onde se encontram as melhores oportunidades? Ou os recursos estão sendo desperdiçados, uma vez que os profissionais mais competentes se limitam a apagar incêndios?

Por mais eficaz que seja o líder, as crises são inevitáveis em qualquer organização, e é nessas horas que ele deve entrar em cena. Esses momentos suscitam ações que vão além do trabalho previsto, porém, nas situações críticas, ninguém lê memorandos nem relatórios. Ao contrário, as crises requerem ação, e são necessárias quatro competências específicas: autodisciplina para ouvir; disposição para se comunicar e se fazer compreender; coragem para assumir responsabilidade e não procurar desculpas; e imparcialidade para considerar os objetivos da organização acima dos próprios.

Os líderes mais eficazes, insistia Drucker, não temem a força alheia: eles a incentivam. Eles alcançam o equilíbrio na tomada de decisões e assumem riscos calculados, mas não apostam todo o futuro da empresa. A única exceção são as oportunidades que a organização não pode perder.

Capítulo 15

Curso rápido sobre inovação

"As empresas não descartam o arcaico, o obsoleto, o improdutivo. Preferem continuar desperdiçando dinheiro no que já está ultrapassado. Pior ainda, acabam encarregando seus funcionários mais competentes de 'defender' o que já era, promovendo má distribuição maciça de seus recursos mais valiosos: os recursos humanos que deveriam ser alocados para construir o amanhã, se é que a empresa terá um futuro."

PETER DRUCKER FOI O primeiro autor de livros de negócios a falar e a escrever sobre inovação como prática gerencial básica. No prefácio de *Inovação e espírito empreendedor*, de 1985, Drucker observou que apenas no começo da década de 1980 os autores passaram a "prestar mais atenção à inovação e ao empreendedorismo". E enfatizou que aquele livro foi "o primeiro a tentar abordar o tema de maneira abrangente e sistemática".

Quando a obra foi publicada, Drucker já escrevia, prestava consultoria e lecionava sobre inovação havia 30 anos. Ele reconheceu que não poderia ter escrito um livro convincente, totalmente dedicado ao tópico, antes de se considerar completamente preparado. Também me disse que seu trabalho de consultoria era seu "laboratório", embora a própria diversidade das empresas em que atuava complicasse a questão. Como duas organizações nunca são iguais, ficava difícil extrair conclusões aplicáveis a todas as empresas. "Escrever é apenas o último estágio", explicou.

"Quando escrevo sobre algo, é porque já compreendi o tema e o coloquei em prática durante algum tempo."

Drucker, então, explicou que deu seu primeiro curso sobre inovação por volta de 1958, um seminário que deu origem a meia dúzia de importantes empresas inovadoras. No entanto, ele esperou mais de 25 anos para escrever um livro sobre o tema, pois, em sua opinião, ainda não realizara o suficiente para sentir-se realmente seguro sobre o assunto. Ele ainda não havia testado suas ideias na prática.

Drucker considerava a inovação fundamental para evitar crises e fortalecer as empresas. Para ele, a complacência e o isolamento eram os principais inimigos da inovação. Essa perspectiva ficou clara em todos os seus livros desde *A prática da administração de empresas*.

Este capitulo também incluirá uma análise de como dois autores modernos, Andy Gove e Clay Christensen, fizeram contribuições significativas para o campo da inovação, desenvolvendo, de uma maneira ou de outra, o conjunto de conhecimentos estabelecido por Drucker na década de 1950.

Fazendo o futuro acontecer

Nenhum livro que tenha a pretensão de analisar a maneira de pensar de Drucker poderia alcançar seu objetivo sem reconhecer a contribuição dele para o tópico inovação. Uma parcela considerável de seu trabalho é dedicada a levar os gestores a ver as coisas como *são*, como *poderiam ser* e como *deveriam ser*. Ele considerava o descarte consciente o precursor da inovação, pois, se as organizações não descartarem produtos "antes de realmente quererem", a inovação autêntica será impossível.

Na opinião dele, muitos gestores se envolvem demais no dia a dia das operações da empresa: "O amanhã sempre chega", escreveu Drucker. "E é sempre diferente. Portanto, mesmo a organização mais poderosa enfrentará problemas se não construir os alicerces do futuro. Perderá diferenciação e liderança e só lhe restarão as despesas indiretas de uma companhia de grande porte. Por não ter ousado assumir o risco de fazer o novo acontecer, a empresa, por força das circunstâncias, irá se expor ao perigo muito maior de ser surpreendida pelo que já aconteceu. E esse é um risco que nem as organizações poderosas podem admitir e que nem os menores negócios precisam correr.

"O executivo deve assumir a responsabilidade por fazer o futuro acontecer", prosseguiu Drucker. "A disposição para realizar essa missão é o atributo derradeiro que distingue a excelência da simples eficiência e diferencia o emprendedorismo da mera supervisão do cotidiano."

Qual será o nosso negócio?

Drucker descreveu pela primeira vez sua doutrina sobre o propósito das empresas e a supremacia dos clientes em *A prática da administração de empresas*, em meados da década de 1950: "O cliente é o fundamento do negócio, é o que garante sua existência. Como o objetivo é criar clientes, qualquer organização tem duas – e apenas duas – funções básicas: marketing e inovação. São as funções empreendedoras. As empresas se diferenciam de todas as outras organizações humanas pelo fato de comercializar produtos ou serviços."

"A segunda função das empresas é, portanto, a inovação", acrescentou. "Não basta que forneçam bens e serviços. Também é necessário que ofereçam alternativas melhores e mais econômicas. Nem sempre a empresa precisa se tornar cada vez maior, mas sempre é indispensável que se torne cada vez melhor."

Drucker foi mais adiante, afirmando que a inovação pode se manifestar sob a forma de preços mais baixos. "Mas também é possível que se traduza em produtos inéditos e melhores – mesmo a preços mais altos –, que se transforme em uma nova conveniência ou que signifique a criação de um novo desejo. Além disso, inovar também é descobrir novos usos para velhos produtos."

Mesmo na fase inicial de sua carreira, Drucker encarava a inovação como algo a ser incorporado à essência das organizações, não como atividade distinta a ser atribuída a um ou mais executivos: "A inovação permeia todas as fases do negócio, se estende a todas as formas de negócios", escreveu. "Portanto, nas organizações de negócios, já não é possível tratar a inovação como função à parte do marketing."

E acrescentou: "Na verdade, o que o cliente considera valor é tão complexo que só pode ser explicado pelo próprio cliente. A administração nem mesmo deve tentar adivinhar o que isso significa – a única alternativa é procurar o cliente, buscando respostas de maneira sistemática."

Drucker argumentava que os gestores também devem perguntar: "Qual será o nosso negócio?" A resposta a essa pergunta depende de quatro fatores:

- Qual é o potencial do mercado e quais são as tendências? Os gestores devem prever o tamanho do mercado com antecedência de cinco a 10 anos, "supondo que não ocorrerão mudanças básicas na estrutura do mercado e na tecnologia". Além disso, os gestores precisam definir com exatidão os fatores que moldarão os mercados no futuro.
- Segundo, "que mudanças se esperam na estrutura do mercado, em consequência de transformações na economia, de

alterações na moda ou nas preferências, ou de iniciativas dos concorrentes?" E, ao se referir à concorrência, Drucker lembrava aos gestores que ela deve ser definida pela percepção dos clientes – em outras palavras, o critério de identificação deve ser de fora para dentro, não de dentro para fora.

- "Que inovações irão mudar os desejos dos clientes, criar novos e eliminar outros, modificar seu conceito de valor ou possibilitar lhes oferecer mais valor e satisfação?"
- Por fim, "que anseios dos consumidores não estão sendo atendidos de maneira adequada pelos produtos ou serviços oferecidos hoje?" Essa é uma questão crítica com que todas as empresas se defrontam. Drucker insistia em afirmar que as organizações capazes de dar a resposta certa a essa pergunta tendem a alcançar um crescimento mais saudável. As que não encontram respostas apropriadas estarão à mercê de circunstâncias e fatores externos, como "a maré montante ou vazante da economia ou da indústria. E quem se contentar em subir com a maré também cairá com ela".

Muitas empresas têm dificuldade em identificar o que cultivar e o que descartar, conforme Drucker explicou em 1982: "As políticas de crescimento precisam discernir entre desenvolvimento saudável, gordura e câncer. Os três são formas de 'crescimento', mas nem todos são igualmente desejáveis. Muito do crescimento em períodos inflacionários é pura gordura. E parte dele pode até ser um indicativo de câncer."

Ele recomendava aos gestores que exercessem julgamento criterioso ao abandonar o que não fosse mais produtivo. "O que garantia o sustento no passado quase sempre deve ser descartado com rapidez", explicou ele. "É até possível que ainda gere receita, mas, em breve, se tornará um obstáculo para o lançamento e o sucesso dos negócios do futuro."

Apenas com novas ideias e por meio de inovações deliberadas a empresa se manterá à frente, pois, sempre que fica para trás, corre perigo. Por isso Drucker insistia tanto para que as organizações descartassem o "ultrapassado", mesmo quando este dava a impressão de continuar forte. Mas é preciso grande disciplina para abandonar produtos e outras ofertas que ainda pareçam saudáveis ou estejam ao menos cobrindo os custos.

Organizar-se para a inovação

Toda organização em busca do crescimento deve se preparar para "promover a inovação. O ponto de partida é reconhecer que a mudança não é ameaça, mas oportunidade", afirmou Drucker em 1990. O segredo é identificar as mudanças que representam oportunidades genuínas, oferecendo condições para sucessos inesperados da organização.

Para ressaltar esse aspecto, citou dois exemplos: no primeiro, detalhou a explosão da educação continuada na década de 1980, nos Estados Unidos. Para ele, não se tratava de "luxo" ou de "algo para gerar mais dinheiro ou favorecer as boas relações públicas. É uma tendência que se transforma em impulso central da sociedade do conhecimento".

O segundo exemplo de mudança que pode ajudar os gestores a explorar oportunidades futuras é a diversificação demográfica. No fim da década de 1970, as bandeirantes americanas compreenderam que a diversidade crescente da população oferecia novas chances para a organização, exploraram a oportunidade e se expandiram em ritmo acelerado.

"A lição é: não espere. Prepare-se para promover a inovação sistemática. Incentive a organização a buscar oportunidades internas e externas constantemente. Identifique mudanças iminentes ou em curso como indicadores de oportunidades de inovar", afirmou Drucker.

Para atribuir a máxima prioridade à inovação, o líder deve dar o exemplo. O desafio é desenvolver e promover uma cultura que estimule decisões inovadoras em todos os níveis hierárquicos, mas que, ao mesmo tempo, crie condições para que a empresa continue operando a 100% de capacidade, enquanto as mudanças prosseguem em seu curso. Para tanto, Drucker propôs vários passos:

"Primeiro, organize-se para identificar as oportunidades. Se não olhar para fora, não perceberá as transformações em andamento." Esse aspecto é fundamental, pois a maioria dos relatórios gerados pela área de TI ou pela contabilidade trata apenas do passado, do que já está em andamento. Revelam somente questões problemáticas, não detectam oportunidades. "Portanto, é preciso ir além dos relatórios", disse Drucker. "E, sempre que perceber alguma mudança, pergunte: Será que isso é uma oportunidade para nós?"

Para ter certeza de que a inovação surtirá efeitos, os gestores precisam adotar outras iniciativas. Drucker explicou que o principal exterminador de inovações é a organização que fala muito em inovação mas não assume de verdade o compromisso com a mudança. Ao contrário, fica muito presa ao passado.

O desafio seguinte é "operar o novo". Qualquer novo empreendimento precisa de espaço suficiente para alcançar o sucesso. Isso significa que deve ser organizado como unidade distinta. Ele fez a seguinte analogia: "O lugar de bebês não é a sala de visitas, é o berçário. É perigoso demais manter os novos conceitos e ideias em unidades operacionais, não importa quais sejam, pois a solução das crises atuais sempre será mais importante que a construção do futuro. Portanto, ao tentar desenvolver o novo em uma unidade organizacional antiga, você estará adiando o futuro. A inovação deve ser tratada à parte. E, ao mesmo tempo, é preciso se empenhar para que as operações em curso não percam totalmente o entusiamo com o novo. Do contrário, o presente se tornará hostil e paralisante."

Inovação ou morte

Em algumas situações, as empresas inovam por não terem escolha. Às vezes acontece algo tão drástico no mercado, envolvendo concorrentes, ou ocorre algum evento político tão impactante que a administração se sente obrigada a agir. Nessas ocasiões, trata-se de inovação ou morte.

Exemplo clássico é o de Sam Walton e a fundação do Wal-Mart. Em 1962, mais ou menos na mesma época em que a Target e a Kmart foram fundadas, Walton abriu o primeiro Wal-Mart. Naquele tempo, já possuía mais de 10 lojas, mas nenhuma propriamente de descontos. Esse tipo de estabelecimento fazia parte de um setor de US$ 2 bilhões e Walton receava que, se não mudasse seu modelo de varejo, seria esmagado pelo rolo compressor da inovação que varria os Estados Unidos. Ele se viu ameaçado por uma nova espécie de concorrentes. E foi assim que o Wal-Mart se reinventou. Seu modelo de desconto, aprimorado ao longo de anos de estudos e de busca incessante de melhoria contínua, esmagou os concorrentes, transformando-o num verdadeiro "category killer" e o maior varejista do mundo.

Andy Grove, um dos fundadores e ex-diretor executivo da Intel, conhece muito bem esse tipo de mudança, algo bastante poderoso para forçar os executivos da empresa a repensar toda a estratégia. Ele descreveu esse fenômeno em seu livro *Só os paranoicos sobrevivem*, de 1996.

A Intel era a principal empresa do setor de chips de memória havia mais de 10 anos e detinha quase 100% do mercado em razão da vantagem do pioneirismo. Mas a situação estava prestes a mudar de maneira surpreendente.

Em meados da década de 1980, os japoneses começaram a reduzir o domínio da Intel, oferecendo chips melhores e mais baratos. Grove concluiu que a companhia tinha ajudado a criar os próprios problemas, ao atrasar o lançamento de novos produtos-chave e ao avançar muito lentamente na construção de novas fábricas.

Depois que os japoneses conquistaram a hegemonia do mercado, o destino da Intel estava definido. Por mais que a empresa tentasse recuperar a vantagem perdida, o fracasso era inevitável. Grove mais tarde descreveu essa situação desastrosa: "Se executa a estratégia errada, você afunda. Se não executa a estratégia certa, também afunda. Nossa execução e nossa estratégia eram ruins."

A triste realidade é que a conjuntura era tão adversa que a empresa não tinha boas escolhas. "A necessidade de uma estratégia diferente, que estancasse a hemorragia, era cada vez mais urgente", insistiu Grove.

Se a Intel fizesse o impensável e saísse do mercado de chips de memória, estaria abandonando o negócio lucrativo que havia alimentado a empresa. Mas não tinha escolha. Como explicou Grove: "Nós havíamos sido ultrapassados pelos concorrentes japoneses. Realmente, não havia alternativa viável. O negócio que definia a companhia estava em rota de colisão com um obstáculo intransponível, então foi preciso fazer uma manobra desesperada."

Foi quando ele e o outro fundador da Intel tomaram a decisão fatídica de abandonar o negócio de chips, o que os levou a eliminar cerca de um terço da empresa durante três anos sofridos. Até que viram uma luz no fim do túnel.

A companhia decidiu se concentrar em microprocessadores. Embora não representassem uma proporção considerável do negócio, a Intel os vinha fornecendo para os computadores da IBM havia cinco anos. Eles eram o futuro. Os chips de memória se limitam a armazenamento de dados, ao passo que os microprocessadores efetuam cálculos, ou seja, são a parte pensante do computador. Depois de alguns anos muito dolorosos, a Intel se tornaria o principal fabricante de microprocessadores do setor.

Infelizmente para Grove e para a Intel, nessa situação eles foram reativos, em vez de proativos. Mudaram apenas sob pressão, atitude a ser evitada, conforme Drucker afirmou: "Mesmo a empresa mais poderosa enfrentará problemas se não tiver construído o futuro." A Intel não tinha "ousado assumir o risco de fazer o novo acontecer".

Ao escrever *Só os paranoicos sobrevivem*, o principal objetivo de Grove foi advertir os gestores sobre esse tipo de mudança sísmica – o que ele denominou "ponto de inflexão estratégico" –, uma força 10 vezes mais poderosa que qualquer outra anterior. As mudanças com essa intensidade têm o potencial de expulsar as empresas do mercado para sempre. Ele definiu ponto de inflexão estratégico como um "momento na vida das empresas em que sua base está prestes a sofrer grandes transformações".

Mais tarde, Grove acrescentou que os pontos de inflexão estratégicos "representam o que acontece com uma organização quando há uma grande mudança no ambiente competitivo". Ele observou que os pontos de inflexão estratégicos não decorrem apenas de mudanças na tecnologia, mas também de vários outros fatores, entre os quais leis e regulamentos novos, transformações na concorrência ou mais um canal de distribuição.

A situação pessoal de Grove na batalha da Intel contra os japoneses é o exemplo perfeito de ponto de inflexão estratégico, da mesma maneira como foi o novo mundo do varejo com que Sam Walton se defrontou, no início da década de 1960, quando lojas de desconto despontaram como novo fenômeno setorial.

A maior diferença entre esses dois casos é que Walton se antecipou à mudança. Antes de modificar seu modelo de negócios, ele se reuniu com os líderes desses empreendimentos, fez inúmeras perguntas, visitou estabelecimentos concorrentes e aprendeu o máximo possível. No linguajar de Drucker, ele mudou "antes de ser obrigado a mudar", uma vez que esse tipo de loja ainda estava longe de se tornar a forma dominante de varejo. Ironicamente, seria o Wal-Mart que expulsaria mais lojas do mercado que qualquer outro varejista.

Sinal certo de ponto de inflexão estratégico é a constatação de que "o que antes funcionava já não funciona mais". Nesse caso, Grove admitiu: "Perdemos o rumo. Vagávamos no 'vale da morte'" – definido por ele como "a transição perigosa entre as velhas e as novas maneiras de fazer negócios". E acrescentou: "Você avança plenamente consciente de que alguns de seus colegas não farão a travessia para o outro lado. No entanto, a tarefa dos gestores é forçar a marcha para algum ponto mal percebido, apesar dos mortos e dos feridos. Compete aos gerentes de nível intermediário apoiar essa decisão. Não há escolha."

Grove citou Drucker várias vezes em *Só os paranoicos sobrevivem* e reconheceu as contribuições dele para suas ideias: "Ele falava numa linguagem simples que ecoava entre os gerentes comuns. Consequentemente, simples afirmações dele influenciaram inúmeras iniciativas diárias, como ocorreu comigo durante décadas."

Ele também recorreu a conceitos de Drucker ao explicar que a atividade-chave imprescindível no curso da transformação de uma empresa – a travessia do "vale da morte" – "é a grande transferência de recursos do que era adequado às velhas ideias para o que é apropriado para os novos conceitos". "Para transpor com sucesso o vale da morte, a primeira tarefa é formar uma imagem mental de como deve ser a organização quando chegar ao outro lado", afirmou Grove.

Também explicou que, nos três anos seguintes, sua equipe de planejamento de produção transferiu recursos antes alocados aos chips para os microprocessadores. "Eles estavam transferindo ativos raros e valiosos de uma área de valor mais baixo para outra de valor mais alto." Grove observou que foi assim que Drucker definiu empreendedorismo: transferência de recursos de áreas de produtividade mais baixa para outras de produtividade e rendimento mais altos.

Os dois acreditavam que a redistribuição deve abranger não só os recursos físicos, mas também os humanos: "Os recursos mais escassos de qualquer organização são *pessoas eficazes*", concluiu Drucker.

Os pontos de inflexão estratégicos podem ocorrer em qualquer empresa, de qualquer setor, a qualquer momento. As corretoras on-line, como a TD Ameritrade ou a E*Trade, por exemplo, impuseram uma mudança estratégica às corretoras tradicionais, como a Merrill Lynch. Praticamente da noite para o dia, desapareceram do mercado incontáveis milhões de dólares em comissões, quando os investidores adquiriram a capacidade de comprar milhares de ações pelo preço de um ingresso de cinema.

Em seu livro, Grove ofereceu várias sugestões para ajudar as empresas a prever os pontos de inflexão estratégicos e a amenizar seu impacto. Uma das recomendações foi ouvir os "profetas prestativos", aqueles paranoicos que proclamam o tempo todo que o mundo está acabando e que o fim está próximo. Grove acreditava que essas figuras radicais – que, em geral, não pertencem ao setor e tendem a adotar perspectiva de fora para dentro – são as que têm melhores chances de detectar transformações iminentes, antes que elas se tornem pontos de inflexão estratégicos consumados. "Em geral, eles são mais sensíveis que a alta administração às mudanças vindouras, por passarem tanto tempo 'ao ar livre', onde os ventos do mundo real fustigam suas faces", explicou Grove. Em geral, situam-se nos escalões intermediários, sobretudo na área de vendas. E você não precisa se preocupar em encontrá-los. Eles o procurarão, garantiu Grove, para transmitir seus receios à diretoria.

Grove também aconselhou os gestores a experimentar sempre e a "deixar o caos reinar". Se as empresas não experimentarem constantemente novos conceitos, ideias, processos e produtos, não terão condições de resistir ao tremendo golpe dos pontos de inflexão estratégicos quando algum bater à sua porta.

Essa maneira de ver as coisas refletia o pensamento de Drucker, que, durante décadas, escrevera sobre um tópico estreitamente relacionado com a inovação, ou seja, o descarte consciente.

Drucker achava que os gestores raramente agiam conforme as recomendações de Andy Grove. A maioria dos diretores executivos se isola muito e permanece longe demais de seus mercados. Quase todos os altos executivos passam muito tempo lidando com problemas internos, em vez de buscarem novas oportunidades.

Além disso, não fazem as perguntas certas na frequência adequada e tampouco dedicam bastante tempo à identificação de *mudanças* nas tendências. Drucker achava que apenas a observação de tendências era insuficiente – a monitoração de *mudanças* nas tendências é o que faz diferença e ajuda os gestores a detectar os tipos de abalos sísmicos descritos por Grove, aqueles capazes de fazer uma empresa mal alicerçada desabar.

Tecnologias disruptivas

Drucker e Grove não foram os únicos a falar e a escrever sobre as forças que viram os mercados de cabeça para baixo. Clayton Christensen, da Harvard Business School, é autor de um dos livros de negócios de maior sucesso da década de 1990: *O dilema da inovação*. Embora Grove fosse o profissional que colocava os conceitos em prática e Christensen fosse acadêmico, ambos tinham visões de mundo semelhantes.

O dilema da inovação conclui que as empresas mais bem-sucedidas são, em geral, as que ficam obcecadas por alguma tecnologia nova ou emergente. Ele chamou de "tecnologia disruptiva" o novo produto que provoca tumulto em mercados estabelecidos. Grove denominou essa perturbação de "efeito Christensen". A revista *Forbes* a chamou de "ataque invisível".

A tecnologia disruptiva oferece uma nova proposição de valor. "É mais simples, mais barata e de pior desempenho", afirmou Christensen. Em geral oferece margens mais estreitas e lucros mais baixos. Como poucas empresas se dispõem a desenvolver novos produtos com essas características, não admira que, quase sempre, as maiores empresas dominantes sejam surpreendidas pela difusão da tecnologia disruptiva.

O propósito básico de *O dilema da inovação* foi descobrir por que muitas das empresas mais bem dirigidas falham na exploração desse tipo de tecnologia. As pesquisas de Christensen confirmaram que o sucesso inicial das companhias com frequência é o empurrão para tropeços subsequentes. "Elas costumam fracassar porque as mesmas práticas gerenciais que as elevaram à liderança do setor também dificultam que desenvolvam as tecnologias disruptivas que acabarão por roubar seus mercados", declarou Christensen.

Os conceitos "tecnologia disruptiva" ou "inovação disruptiva" quase sempre se referem a uma inovação tecnológica que resulta em novo produto ou serviço que substitui a tecnologia existente, mudando a dinâmica do mercado. O ponto de inflexão estratégico é um conceito mais amplo, pois pode ser gerado por fatores sociais ou políticos ou eventos não tecnológicos – pense, por exemplo, no impacto da Lei Seca sobre a indústria de bebidas nos

Estados Unidos. Contudo, ambos podem mudar o rumo de uma empresa da noite para o dia. Em 2008, no entanto, Christensen expandiu sua concepção de disrupção, ao afirmar que esta não se limita à tecnologia. Preços mais baixos, novos fornecedores ou diferentes cadeias de suprimentos também podem provocar disrupções.

O quadro a seguir apresenta alguns exemplos de tecnologias disruptivas e as tecnologias tradicionais que desafiaram ou substituíram.

Tecnologia estabelecida	Tecnologia disruptiva
cavalo e carroça	automóveis
livrarias físicas	livrarias on-line
escolas de administração	universidades corporativas
livros acadêmicos tradicionais	livros acadêmicos digitais personalizados
fotografia tradicional em filme de 35mm	fotografia digital
enciclopédia impressa em vários volumes	Wikipedia (enciclopédia on-line gratuita)

Nas últimas páginas de *O dilema da inovação*, Christensen dá aos gestores o seguinte conselho: "Deve-se atribuir responsabilidade por tecnologias disruptivas a organizações cujos clientes precisam delas, para que os recursos fluam para elas."

Ele também considerou importante que não se misturem produtos baseados em tecnologias disruptivas com outros mais tradicionais e dominantes. Em vez disso, recomendou que a empresa "constitua uma companhia à parte, pequena o bastante para se empolgar com pequenos ganhos". Exatamente a mesma sugestão foi feita por Drucker, como vimos na página 185.

Christensen também recomendou que os gestores "planejem os fracassos" e não apostem tudo "em acertar na primeira vez", mas que apliquem as tecnologias disruptivas em produtos comerciais, como "oportunidades de aprendizado", corrigindo o curso, quando necessário.

Por fim, aconselhou: "Não conte com sucessos extraordinários." Ele instruiu os gestores a avançar com rapidez e a buscar oportunidades *fora* do mercado dominante, onde o novo mercado se desenvolverá. As características que tornam a nova oferta atraente para o mercado emergente menor são as mesmas que a fazem pouco atraente para o mercado dominante maior.

Tanto Grove como Christensen fizeram vários elogios a Drucker. Em uma reunião na Academy of Management, em agosto de 1998, Grove se referiu em público a como mudara sua maneira de pensar ao ler *A prática da administração de empresas* 30 anos após ser publicado. Christensen chamou Drucker de "terrorista intelectual" por plantar bombas que explodiriam nos cérebros de leitores desavisados, às vezes muitos anos depois, quando detonadas por eventos correlatos".

Curso rápido sobre inovação

Drucker foi o primeiro autor de livros de negócios a abordar, de maneira sistemática, o tema inovação. Segundo ele, o segredo é se organizar para a inovação. "Se não olhar para fora, não perceberá as transformações em andamento", declarou. "O amanhã sempre chega. E é sempre diferente. Portanto, mesmo a empresa mais poderosa enfrentará problemas, se não construir os alicerces do futuro. Ela perderá diferenciação e liderança."

Andy Grove e Clay Christensen escreveram sobre as forças poderosas que podem virar mercados de cabeça para baixo, forçando as organizações a mudar para não correrem o risco de se tornarem irrelevantes. No entanto, muito antes de os conceitos de "ponto de inflexão estratégico", de Grove, e "tecnologia disruptiva", de Christensen, se integrarem ao léxico de negócios, Drucker já advertia sobre os mesmos perigos, ainda que usando termos menos chamativos.

Embora sua obra tenha sido tão desbravadora quanto a de Grove e a de Christensen, Drucker recebeu pouca atenção da imprensa por suas descobertas, o que não surpreende, pois esse foi o enredo básico de sua carreira, sobretudo no fim. Na década de 1990, ele e seus livros de negócios já estavam em cena havia 50 anos, e, embora continuassem a vender bem, muitos o consideravam ultrapassado.

Por outro lado, Grove e Christensen eram novidades, até sensações, razão pela qual a imprensa exaltava suas realizações. Exemplo típico é uma capa da revista *Forbes*, de 1997, na qual eles aparecem. Nos últimos anos – até pouco depois de sua morte, em 2005 –, era difícil encontrar o rosto de Drucker na capa de uma grande revista de negócios, como a *Fortune* ou a *BusinessWeek*.

Epílogo

Do monstro ao cordeiro: as pessoas que moldaram Peter Drucker

"Embora meus escritos, durante 50 anos, tenham enfatizado o desenho orgânico, a descentralização e a diversidade, eles lidam com ideias, ou seja, abstrações. Quero que os executivos apliquem o que eu ensinar. Meu objetivo nunca foi um reconhecimento acadêmico. Sempre foi fazer diferença."

PASSEI MAIS DE CINCO anos elaborando este livro, mas comecei a imaginá-lo muito antes, desde a edição de meu primeiro livro sobre Jack Welch, no começo da década de 1990. Foi então que descobri as ligações profundas envolvendo Welch, a GE e Drucker. Eu queria saber mais sobre aquele homem enigmático, que criou uma disciplina sem jamais ter gerenciado nada. "Por que seu trabalho foi tão influente?" foi a primeira questão que me veio à mente quando comecei a tomar conhecimento do que ele fizera na GE. Eu queria saber o que mexia com esse homem, que definia a si mesmo como "escritor" e atraiu a atenção dos executivos mais bem-sucedidos da era moderna.

Drucker tinha uma mente incrível, o que, para um escritor, é ao mesmo tempo bênção e maldição. Ao reler sua obra, concluí que, embora ele fosse um autor que escrevia muito, seus livros não são de leitura ou consulta fácil. Suas ideias, ou conceitos, como ele as chamava, em geral eram melhores do que as palavras com que o autor as descrevia. Mesmo seus livros mais pioneiros contêm capítulos ou trechos inconsistentes e, às vezes, difíceis de entender.

Ele tinha a tendência a fazer repetições, divagações e, por vezes, a levantar questões incompreensíveis, que, não raro, dispersavam os leitores do ponto principal. Era como se sua mente avançasse muito à frente, à medida que escrevia, e ele mesmo tivesse dificuldade em acompanhar as próprias ideias. E, assim, ele expunha todos os seus conceitos, muitas vezes sem que houvesse um editor que trabalhasse o texto da maneira adequada.

O livro que eu mal podia esperar para reler era o favorito de Drucker, e o mais pessoal, *Adventures of a Bystander*, obra que mais se aproximou de uma autobiografia. Ele era humilde demais para escrever um livro a respeito dele próprio e insistia em afirmar que não era interessante o bastante para justificar um livro de memórias.

"Os observadores não têm história própria", escreveu. "Estão no palco, mas não participam da cena. Nem mesmo fazem parte do público. A sorte da peça e de todos os atores depende do público, ao passo que a reação dos observadores não exerce qualquer efeito, a não ser sobre si mesmos. Porém, ao se manter nos bastidores, o observador vê coisas que nenhum ator ou o público percebem e assiste à cena sob uma perspectiva diferente."

Esse tema, de que ele foi mais observador que participante, era recorrente nas entrevistas concedidas por Drucker. De início, interpretei essa atitude como pouco mais que falsa modéstia. Mas ele manteve a mesma postura até o fim. Seis meses antes de morrer, disse a John Byrne, da *BusinessWeek*, que seus melhores livros tinham sido escritos na década de 1950 e caracterizou como "marginal" sua obra subsequente.

Essa entrevista foi reveladora. Naquele dia, Drucker parecia deprimido e doente, e talvez por isso tenha se mostrado tão negativo a respeito de si próprio e de seu legado. Ele sofria de câncer abdominal e fraturara a bacia em 2004. "Não se reza por uma vida longa, mas por uma morte fácil", ele repetia com frequência.

Drucker afirmou até o fim que nada o interessava mais que pessoas – *outras* pessoas. Ele escreveu que nunca conheceu "uma única pessoa desinteressante. Por mais conformistas, convencionais ou obtusas que pareçam, elas se tornam fascinantes no momento em que falam do que fazem, do que conhecem ou do que gostam. É quando todos se transformam em indivíduos".

"Não sou nem um pouco interessante", declarou ele à *BusinessWeek*. "Creio que ajudei algumas pessoas competentes a serem eficazes ao fazerem as coisas certas. Sou um escritor, e os escritores não levam vidas interessantes. Meus livros, meu trabalho, sim. São coisas diferentes", respondeu, quando perguntado sobre seu legado.

Alguém que se interessa tanto por outras pessoas tinha de ser influenciado por elas, raciocinei. Para algum dia compreender o homem por trás das palavras, eu precisaria compreender as pessoas que o moldaram, as que mais influenciaram a vida dele.

Felizmente, Drucker gostava de falar sobre outras pessoas, em entrevistas, em seus livros e em diversos artigos. Ele também deixou claro que líderes venerava e de quais não gostava.

No palco mundial, quem mais admirava era o Winston Churchill que liderou a Grã-Bretanha na Segunda Guerra Mundial, não o Churchill em início de carreira, que não passou de mero figurante. Drucker acreditava que os acontecimentos podem transformar os homens, ou ao menos são capazes de fazer aflorar o melhor de cada um.

Quanto aos presidentes americanos, tinha Harry Truman em alta conta pela maneira como ele crescera na função, mas respeitava muito menos Franklin Roosevelt e John F. Kennedy. Afirmava que Roosevelt era inseguro e sentia-se ameaçado por pessoas competentes, por isso se livrava de qualquer um ao seu redor que visse como perigo potencial. Também dizia que Kennedy tinha mais carisma que qualquer outro presidente, mas que não realizara quase nada. Essas opiniões são controversas, uma vez que esses homens, principalmente Roosevelt, estão entre os líderes mais celebrados do século XX.

Entretanto, os comentários de Drucker a respeito de presidentes ou de primeiros-ministros dizem pouco sobre quem ele foi. Para tanto, precisamos voltar no tempo e explorar as vidas das pessoas que mais o influenciaram, daquelas de que ele se lembrou e sobre as quais escreveu muitas décadas depois.

O começo

Drucker cresceu num tranquilo subúrbio vienense numa família que cursara a universidade: Adolph, o pai, era um alto funcionário público e a mãe, Caroline, era médica.

O que mais marcou sua infância foram as reuniões promovidas pelos pais. Duas a três vezes por semana, filósofos, intelectuais, advogados, funcionários do governo e outras pessoas de destaque se reuniam na sala de visitas de sua casa. Entre os mais notáveis estavam representantes do Círculo de Viena.

Esse grupo da elite intelectual incluía alguns dos melhores e mais brilhantes filósofos da Áustria, pessoas que tinham crenças e visões de mundo semelhantes. Acreditavam que a "experiência é a única fonte de conhecimento e que a análise lógica executada com a ajuda do raciocínio simbólico é o método preferido para a solução de problemas filosóficos".

O notável economista Joseph Schumpeter, um dos intelectuais mais importantes do século XX, fazia negócios com o pai de Drucker e era frequentador assíduo dessas reuniões. Foi ele quem primeiro escreveu sobre a importância dos empreendedores na sociedade, considerando-os fontes de inspiração para mudanças e inovações tecnológicas. Mais tarde, em Harvard, o economista argumentou que as grandes empresas estimulavam a inovação, pois dispunham dos recursos necessários para pesquisa e desenvolvimento.

Quando tinha apenas 8 anos, Drucker conheceu Freud. Coincidentemente, o pai da psicanálise e a família de Drucker faziam refeições no mesmo restaurante e passavam férias às margens do mesmo lago.

"Nunca se esqueça deste dia", o pai disse ao jovem Peter, "pois você acabou de conhecer o homem mais importante da Áustria e talvez de toda a Europa."

"Mais importante que o imperador?", perguntou Peter.

"Sim, mais importante que o imperador", confirmou o pai.

Peter nunca se esqueceu daquele dia, nem do que aprendeu naquelas reuniões em sua casa. Embora o nível das conversas fosse muito elevado para um menino, ele tinha permissão para participar dos encontros. Drucker depois reconheceria: "Essa foi minha formação", ao se referir às discussões animadas que presenciou naquelas noites.

Decerto, esse foi o *início* de sua educação. Em meio às crenças e teorias de importantes pensadores, como os do Círculo de Viena e Joseph Schumpeter, é possível vislumbrar as raízes das próprias filosofias de Drucker começando a tomar forma. Além disso, seu profundo interesse por tantas disciplinas – arte, filosofia, religião, ciência, direito, sociologia, negócios, literatura – é reflexo da diversidade de pessoas que frequentavam sua casa e compartilhavam suas ideias e paixões sobre esses temas.

Muitas outras pessoas influenciaram o inventor da administração moderna ao longo da vida. Falar de todas elas exigiria outro livro – e, com efeito, o próprio Drucker o escreveu, *Adventures of a Bystander*, ao qual remonta boa parte deste epílogo.

Ele o considerou um "livro de contos, cada um independente dos demais. Mas também é a tentativa de pintar um retrato social – um esforço para captar e transmitir a essência, o sabor e a percepção do que muito poucas pessoas ainda vivas serão capazes de imaginar: a Europa entreguerras, os anos do New Deal e os Estados Unidos logo depois da Segunda Guerra Mundial".

Apesar dessa meta ambiciosa, que o livro alcança, encontrei algo mais nessa obra: *Drucker, o homem* – aquele que se esquivou de mim em suas outras obras, em seus artigos, em nossa entrevista e no que outras pessoas escreveram a respeito dele. Pois é por intermédio dessas pessoas que se pode discernir como surgiu alguém tão singular quanto Peter Drucker.

"Uma velha gagá"

O primeiro capítulo de *Adventures of a Bystander* é dedicado à avó dele, personagem que nem mesmo o mais criativo roteirista seria capaz de imaginar.

Sua avó ficou viúva aos 40 anos. Sofria de muitas doenças, como febre reumática, que afetou seu coração, e artrite reumatoide avançada, que inchava suas articulações, principalmente as dos dedos. Como se não bastasse, era quase surda. Entretanto, nenhuma dessas moléstias a impedia de passear e se divertir. Drucker se lembra da avó circulando pela cidade com um grande guarda-chuva preto, que lhe servia de bengala, e uma sacola de compras, que "pesava tanto quanto ela".

Todos a chamavam de vovó, até suas filhas e sobrinhas. Cada membro da família tinha suas histórias favoritas sobre ela, quase sempre a respeito de uma velha excêntrica, que fazia as coisas à sua maneira, por mais ridículas que parecessem.

Por isso ela era conhecida como a "idiota da família", rótulo que nunca negou. Na realidade, ela própria se denominava "velha gagá", o que se confirmava pelo modo como agia e pelo que dizia.

Embora o marido lhe tenha deixado uma "fortuna", a inflação austríaca a deixou "pobre como rato de igreja". Porém, nem mesmo o pai de Drucker, a quem ele chamava de "economista da família", por mais que tentasse, não conseguia explicar à velha o que era inflação.

Por causa de sua situação econômica cada vez pior, ela acabou confinada a dois pequenos cômodos. E, quando suas tralhas não cabiam mais em um espaço tão pequeno, ela empacotou boa parte dos cacarecos em enormes sacolas de compras e as levou para o banco. A essa altura, suas reservas não passavam de "alguns tostões". Mas seu marido fundara a instituição e fora o presidente de seu conselho de administração até a morte, e por isso ela era tratada com todo o respeito.

Quando ela disse ao gerente da agência que desejava "depositar" os cacarecos em sua conta corrente, ele lhe explicou que o banco não guardava "objetos", apenas dinheiro. Vovó chamou o homem de "mau e ingrato", fechou a conta, saiu do estabelecimento com os tostões na bolsa e abriu uma conta nova em outra agência – do mesmo banco!

Mas a denominação "velha gagá" não fazia jus à história dessa mulher de quem Drucker obviamente guardava boas lembranças. Ela tratava todo mundo com respeito e sempre se lembrava das pessoas que conhecia, mesmo que tivesse se passado muito tempo desde que as vira pela última vez.

Ninguém achava a vovó inteligente, mas ela era capaz de fazer coisas que ninguém conseguia. A melhor história aconteceu quando Drucker a viu viva pela última vez, no início da década de 1930, episódio que narra com orgulho em sua autobiografia. Os dois estavam num bonde, quando um jovem portando uma suástica entrou. A vovó não conseguia ficar quieta, até que não se conteve, se levantou, cutucou o jovem nazista com seu guarda-chuva e disse: "Não quero saber de suas ideias políticas. Eu até poderia concordar com algumas delas. Mas você parece um jovem inteligente e educado. Você não sabe que isso – e apontou para a suástica – pode magoar algumas pessoas? Não é de bom-tom ofender a religião alheia, da mesma maneira que não é de bom-tom ridicularizar os problemas de pele das outras pessoas. Você não gostaria de ser chamado de 'palhaço espinhento', gostaria?"

Drucker segurou a respiração, com medo do que poderia acontecer. Já naquela época, os nazistas eram "treinados para chutar os dentes das velhas, sem dó nem piedade". Mas, para alívio de Drucker, o jovem nazista recolheu a suástica e a guardou no bolso. Ao saltar do bonde poucos minutos depois, ele ainda cumprimentou a velha com um toque no chapéu. Apesar do espanto diante dos riscos a que ela se expôs, toda a família se impressionou e se divertiu com a atitude da vovó.

Na época, o pai de Drucker tentava, em vão, expulsar os nazistas da Áustria. "Se ao menos conseguíssemos que a vovó sempre fizesse ronda nos bondes", contou ele rindo.

Foi então que Drucker começou a questionar a fama de "velha gagá" da avó. Aos poucos começou a achar que ela não era uma pessoa sofisticada, sagaz ou perspicaz, mas tinha sabedoria. "Sem dúvida, ela era engraçada, mas será que, além disso, ela também não estava certa em suas atitudes?"

Drucker concluiu que a vovó "praticava os valores básicos e tentava aplicá-los no século XX, ou ao menos em seu âmbito familiar".

As grandes mestras de Drucker

Drucker, que acabaria se revelando um excelente educador e que, como professor, recusou propostas de Harvard e de outras instituições renomadas, teve como melhores professores as irmãs Elsa e Sophy, na quarta série do ensino fundamental.

Certa vez, Elsa – que era diretora e professora – propôs que o ano letivo começasse com três semanas de exercícios e testes para avaliar os conhecimentos de cada aluno. Drucker se assustou, mas a proposta acabou sendo divertida, porque os alunos avaliaram a si mesmos e atribuíram notas uns aos outros.

Ao fim das três semanas, Elsa conversou separadamente com cada um dos alunos e lhes perguntou em quais disciplinas acreditavam que tinham se saído bem. Drucker dissera que se achava ótimo leitor. Ela concordou, mas acrescentou que ele precisava praticar mais a redação. Então, fizeram um acordo: ele escreveria duas redações por semana, uma sobre assunto escolhido por ela, outra sobre tema definido por ele.

Elsa também lhe disse que ele subestimara seu desempenho nos testes de matemática. Ela garantiu que Drucker era realmente bom em aritmética, o que surpreendeu o jovem estudante, pois outros professores já haviam dito que ele era ruim na matéria. "Seus resultados não são bons, mas não porque você não saiba aritmética", ela explicou com paciência. "São ruins porque você é displicente e não verifica os cálculos. Você não comete mais erros que os outros, apenas não os identifica e não os corrige. Mas neste ano vai aprender a corrigi-los. Por isso, vou pedir que corrija os deveres de aritmética de alguns de seus colegas de turma."

Ela sempre se concentrava nas qualidades de cada aluno e então definia objetivos de curto e de longo prazos para desenvolver esses pontos fortes. Só depois disso ela se voltava para os pontos fracos. Por fim, oferecia o tipo de feedback que tornava mais fácil para cada aluno a tarefa de melhorar o próprio desempenho e de "se orientar". Mais tarde, isso viria a ser um princípio de Drucker: ele argumentava que os funcionários devem receber feedback para orientar a si mesmos, pois "todo desenvolvimento é autodesenvolvimento".

Ao descrever o que tornava Elsa uma excelente professora, Drucker explicou que "o foco dela não estava nas crianças, e sim no *aprendizado*. No entanto, já na primeira semana, ela sabia o nome e conhecia as características de cada aluno, principalmente os pontos fortes e os fracos".

"Sophy, por outro lado, era totalmente focada nas crianças", descreveu Drucker. Os alunos "se amontoavam em torno dela". Sempre havia alguém em seu colo, e mesmo as crianças maiores não tinham medo de correr para ela quando algo dava errado.

Os alunos recorriam a ela para contar tanto seus problemas quanto seus triunfos, e, apesar de ter dificuldade em lembrar o nome dos alunos, estava sempre presente para dar um abraço ou fazer um elogio.

Ela ensinava artes e trabalhos manuais e deixava que as crianças experimentassem quase tudo, "sempre disposta a ajudar, mas sem dar conselhos ou criticar os alunos".

Seu método de ensino era não verbal. Ao ver uma criança desenhando ou fazendo outra tarefa manual, ela a observava durante um tempo e depois a orientava, até que pegasse o jeito. Sophy nunca criticava um aluno, não importa o que acontecesse.

Drucker reconheceu que sem essas duas incríveis mestras teria sido improvável que se dedicasse à carreira de professor. "Se Elsa e Sophy não tivessem marcado minha vida, eu teria resistido ao magistério." Mas ambas transmitiram a ele a mensagem de que "o ensino e o aprendizado de alta qualidade, baseados num relacionamento intenso e prazeroso, são possíveis. Essas duas mulheres definiram padrões e deram exemplos".

O monstro e o cordeiro

Na primavera de 1932, Drucker tinha decidido deixar Frankfurt, pois sabia o que aconteceria com a Alemanha se os nazistas chegassem ao poder no ano seguinte.

Em 1925, ele tinha ido trabalhar numa empresa de exportação em Hamburgo. Pouco mais de um ano depois, se mudou para Frankfurt, primeiro para trabalhar num banco comercial associado a uma empresa de Wall Street. Mas a quebra da Bolsa, em 1929, logo pôs fim à sua carreira no setor financeiro e ele foi trabalhar na editoria de economia do jornal mais popular de Frankfurt. Drucker progrediu com rapidez e em dois anos foi promovido a editor das notícias internacionais e de economia.

Ele atribuiu seu sucesso não aos próprios méritos, mas às condições da Europa no período após a Primeira Guerra Mundial: "Com 20 e poucos anos, me tornei editor sênior de um grande jornal, não porque eu fosse muito competente, mas porque a geração antes da minha simplesmente não existia. Não havia ninguém na faixa dos 30 anos, porque todos jaziam nos cemitérios de Flandres e de Verdun e nas estepes da Rússia. Pouca gente hoje – muito menos nos Estados Unidos – pode imaginar como a Primeira Guerra Mundial dizimou a liderança europeia."

Bom profissional e estudante dedicado, Drucker até conseguiu concluir o doutorado em direito internacional e público, em 1931, com apenas 22 anos. Enquanto trabalhava em tempo integral como repórter, também foi professor de direito e escreveu artigos para revistas. Percebendo que evoluíra mais rápido que o jornal, começou a procurar outro emprego. Mas também se preparava para deixar a Alemanha. Já imaginava como seria quando Hitler e os nazistas chegassem ao poder, então elaborou um plano que tornaria impossível que os nazistas se aproximassem dele e que também não lhe permitisse ter qualquer tipo de relação com eles.

Decidiu escrever um panfleto sobre o mais notável filósofo político da Alemanha, Friedrich Julius Stahl, que também era judeu. Uma apologia a esse defensor da liberdade representava, nas palavras de Drucker, "um ataque direto ao nazismo".

Como ele previra, o texto nunca foi publicado e acabou queimado pelos nazistas. No entanto, a iniciativa foi importante para Drucker: "Aquilo deixava clara a minha posição. Sabia que eu precisava garantir minha própria segurança e que deveria manifestar minha opinião, mesmo que ninguém se importasse."

Quatro anos depois, publicou outro livro curto: *Die Judenfrage in Deutschland* (A questão dos judeus na Alemanha), que também foi queimado. O único exemplar que resistiu se encontra no Arquivo Nacional Austríaco, com a marca da suástica.

Drucker não se surpreendeu com a vitória de Hitler nas eleições nem com sua ascensão ao poder em 31 de janeiro de 1933. Havia anos ele temia que isso acontecesse.

Um acontecimento o convenceu, definitivamente, de que ele tinha de deixar a Alemanha. Ele fazia parte do corpo docente da Universidade de Frankfurt e, embora nunca tivesse participado de uma única reunião de professores, assistiu à primeira presidida pelo recém-empossado comissário nazista. O evento foi um desastre total.

O primeiro aviso foi o de que todos os professores judeus seriam afastados imediatamente da universidade e demitidos sem remuneração. A situação se mostrou ainda muito pior quando o comissário ameaçou todos os membros do corpo docente: quem não cumprisse as ordens seria mandado para os campos de concentração. Drucker decidiu deixar a Alemanha em dois dias.

Naquela noite, alguém bateu em sua porta. Seu coração quase parou ao ver que era um soldado nazista, mas sentiu certo alívio ao reconhecer Hensch, um colega do jornal onde trabalhara.

Hensch soubera que Drucker também tinha largado o jornal, além do emprego na universidade, e tentou convencê-lo a voltar atrás em ambas as decisões. Drucker, porém, não cedeu em nenhuma delas.

Hensch, então, apelou para o lado emocional. Disse a Drucker quanto o invejava e que lamentava não ser "inteligente" como ele. Admitiu que também gostaria de ir embora, mas não podia. Contou que o que mais queria era dinheiro, status e poder, e declarou que, por ter influência no Partido Nazista, ele finalmente seria alguém. "Você ainda ouvirá falar de mim", declarou a Drucker.

Então Drucker vislumbrou o futuro. Sabia que Hitler cumpriria as promessas que fizera em seu livro *Mein Kampf* (Minha luta), que foi um fracasso ao ser lançado em 1925, mas que se tornou best-seller depois de ele tomar posse como chanceler alemão em 1933, passando a vender quase tanto quanto a Bíblia. A obra era uma receita da carnificina e do genocídio que tomariam conta da Europa nos anos seguintes.

Em seu primeiro livro, *The End of Economic Man: A Study of the New Totalitarism* (O fim do homem econômico: Um estudo sobre as novas formas de totalitarismo), publicado em 1939, Drucker previu o Holocausto. Mas, desde a noite em que Hensch o visitara, sabia que Hitler seria bem-sucedido na criação de uma máquina de matar. O ex-colega era um homem comum, e sua mediocridade significava que havia centenas de milhares, até de milhões, exatamente como ele, que sucumbiriam voluntariamente ao desejo de matar do ditador alemão.

Drucker chegou aos Estados Unidos em 1937 e nunca mais ouviu falar em Hensch. Porém, pouco depois da derrota nazista, em 1945, uma nota no *New York Times* chamou sua atenção:

> Reinhold Hensch, um dos mais procurados criminosos de guerra nazistas, cometeu suicídio ao ser capturado pelas tropas americanas, no porão de uma casa bombardeada, em Frankfurt. Hensch,

que tinha a patente de tenente-general, comandou as infames tropas da SS e era um dos responsáveis pela campanha de extermínio dos judeus e de outros inimigos do Estado nazista. Era tão cruel, feroz e sanguinário que ficou conhecido como "O Monstro", mesmo entre seus comandados.

Drucker fugiu da Alemanha em 1933, foi para Viena e, poucas semanas depois, partiu para a Inglaterra, onde conhecia um jornalista alemão bastante renomado, o conde Albert Montgelas. Ele comentou com Drucker que estava muito preocupado com a possibilidade de um amigo seu, o celebrado repórter de Nova York Paul Schaeffer, aceitar o convite para ser o editor do *Berliner Tageblatt.* Por mais de 50 anos, o *Tageblatt* desfrutara da mesma reputação do *New York Times* ou do *Times*, de Londres.

Schaeffer cobrira a carreira de Roosevelt desde quando era governador de Nova York até seu discurso de posse como presidente dos Estados Unidos e não era nenhum idiota. Sabia melhor do que ninguém quais eram os objetivos dos nazistas, mas achava que podia fazer diferença: "É exatamente por causa dessa situação tão absurda que preciso aceitar o cargo", explicou. "Sou a única pessoa capaz de evitar o pior. Os nazistas precisarão de mim e do *Berliner Tageblatt.* Necessitarão de alguém como eu, que conheça o Ocidente, que saiba com quem conversar e a quem ouvir."

Montgelas perguntou a Schaeffer se ele não estava com medo de ser usado pelos nazistas, de "oferecer-lhes uma fachada de respeitabilidade para iludir o mundo". Schaeffer até tinha recebido uma proposta por escrito de Henry Luce, em papel timbrado da revista *Time*, para ser correspondente-chefe na Europa das revistas *Time*, *Fortune* e de um futuro periódico ilustrado – que viria a ser a *Life* –, mencionando a possibilidade de vir a ocupar um cargo ainda mais importante. A esposa de Schaeffer implorou para que ele aceitasse o convite de Luce.

Mas Schaeffer não mudaria sua decisão. Ele achava que tinha uma "dívida" com seu mentor, o ex-editor do *Tageblatt*, um judeu que fora demitido assim que os nazistas assumiram o poder, e também com seu país. Então, aceitou o emprego.

Desde o começo, os nazistas o iludiram exatamente como Drucker e Montgelas receavam. "Ele recebeu títulos, dinheiro e honrarias", explicou Drucker. "A imprensa nazista destacava a escolha dele para editor-chefe com o intuito de mostrar que todas as histórias sobre os nazistas e sobre o tratamento que dispensavam à mídia, segundo os jornais estrangeiros, eram mentiras deslavadas dos judeus. Sempre que notícias de atrocidades nazistas eram publicadas, Schaeffer era enviado às embaixadas estrangeiras em Berlim ou a reuniões com correspondentes estrangeiros, com a missão de lhes assegurar que se tratava apenas de episódios isolados, que não se repetiriam."

Dois anos depois que Schaeffer assumiu o cargo, quando ele e o *Berliner Tageblatt* já haviam sido completamente explorados pelos nazistas, "ambos foram liquidados e desapareceram sem deixar vestígios", relatou.

No capítulo intitulado "O monstro e o cordeiro", Drucker refletiu sobre Reinhold Hensch e Paul Schaeffer. Ele também citou a filósofa Hannah Arendt, que, em seu livro sobre o criminoso de guerra nazista Adolf Eichmann, se referiu à "banalidade do mal". Drucker considerou a afirmação extremamente infeliz: "O mal nunca é banal. Mas os malfeitores, em geral, são", declarou. "O mal se manifesta por meio dos Hensches e dos Schaeffers, exatamente porque o mal é monstruoso, ao passo que os homens são triviais. E porque o mal nunca é banal, nunca se deve fazer concessões a ele, sob hipótese alguma, pois as condições são sempre as do mal, nunca as dos malfeitores. As pessoas se transformam em instrumentos do mal quando, como os Hensches, acham que podem explorar o mal para saciar suas ambições.

Também se convertem em instrumentos do mal, quando, como os Schaeffers, se aliam a ele na tentativa de prevenir o pior."

Drucker terminou o trecho perguntando: Quem fez mais mal, o monstro ou o cordeiro? "O que é pior, os pecados de Hensch, por ansiar o poder, ou a arrogância e o orgulho de Schaeffer? Talvez os maiores pecados não sejam esses dois vícios antigos, e, sim, o pecado da indiferença – o pecado do emérito bioquímico que não mata nem mente, mas se recusa a testemunhar quando, nas palavras do antigo hino, 'eles crucificam o Senhor'."

Essas são apenas algumas das pessoas – e dos acontecimentos – que ajudaram a moldar Peter Drucker, fazendo dele o homem que veio a ser.

Esses indivíduos lhe proporcionaram uma visão de mundo mais ampla e influenciaram muito mais que o cérebro de Drucker: eles moldaram sua humanidade, tema recorrente em sua vida e obra.

As pessoas que frequentavam as reuniões nas casas dos pais de Drucker, quando ele era criança, o ensinaram a se interessar por diversas questões, como política, arte, ciência, direito, economia, entre outras. Elas abriram sua mente, preparando-o para tudo o que ele viria a construir mais tarde.

A avó dele, evidentemente, não era apenas uma "velha gagá" – ela tinha humildade e sabedoria. Também demonstrava grande coragem, qualidade que Drucker também possuía. Tanto a vovó quanto Drucker, anos depois, desafiaram o nazismo à sua maneira: ela, repreendendo um jovem nazista no bonde; ele, com seus manuscritos censurados.

Elsa e Sophy ensinaram a ele que o magistério pode ser uma carreira mágica. Como o próprio Drucker reconheceu, ele talvez não tivesse se dedicado ao ensino se não fossem essas duas professoras.

Cada uma delas o incentivou a se concentrar nos pontos fortes: Elsa o ensinou a focar o aprendizado e os resultados finais. Para aprender é preciso saber o que se faz melhor e identificar as áreas que necessitam ser aprimoradas. Os testes aplicados por ela, seguidos da autoavaliação dos alunos, ajudavam cada criança a descobrir os pontos fortes necessários ao autodesenvolvimento, lição que veio a se transformar em um importante princípio gerencial de Drucker. Em *A prática da administração de empresas*, ele escreveu: "Cada gestor deve receber as informações indispensáveis à avaliação do próprio desempenho, com rapidez suficiente para realizar as mudanças necessárias à conquista dos resultados almejados."

Drucker testemunhou duas guerras mundiais, algo que poucos escritores contemporâneos experimentaram. Os episódios com o monstro e com o cordeiro transformaram o nazismo e o fascismo em realidades pessoais para ele. Assistiu à ascensão dos nazistas ao poder, no fim da década de 1920, e à nomeação de Hitler como chanceler da Alemanha, em 1933. Considerava o nazismo um fenômeno social, o que levou os acadêmicos a rejeitar seu livro *The End of Economic Man*, muito mais tarde.

Também testemunhou como o pecado da arrogância pode destruir até um monstro como Reinhold Hensch. A crença de Paul Schaeffer – "apenas eu posso evitar o pior" – resultou num desfecho trágico. Apesar de suas boa intenções, ele logo passou a atuar como cúmplice dos nazistas. O respeitado jornalista americano se tornou porta-voz do nazismo no palco mundial, alguém que conferiu a eles legitimidade suficiente para prosseguir com a guerra e o genocídio em grande escala. Ao mascarar o que de fato estava acontecendo sob o domínio nazista na Europa, ele talvez tenha ajudado outros líderes mundiais a justificar a própria neutralidade.

* * *

No fim das contas, Drucker considerava o cordeiro tão destrutivo quanto o monstro. Ambos deixaram marcas profundas em sua vida e ele identificou exatamente contra o que lutaria. Estivesse ele atuando como escritor, professor ou consultor, sempre procurou difundir o conhecimento e o aprendizado, ajudar as pessoas a se aprimorarem, aperfeiçoar as instituições e mostrar aos outros como é possível agir da mesma maneira. Durante toda a vida, ele nunca perdeu a humildade, nem cedeu à arrogância e ao orgulho. Quando errava, admitia o erro, aprendia com ele e seguia adiante.

De acordo com Elizabeth Haas Edersheim, que escreveu a biografia dele, a visão de Drucker como espectador privilegiado dos acontecimentos que se desenrolaram na Europa nas primeiras décadas do século XX determinaram seu futuro: "A paixão de Peter era consequência direta de ter testemunhado a queda livre da economia europeia na década de 1930", escreveu ela em *A essência de Peter Drucker.* "Os fracassos e os colapsos sobre os quais ele escreveu na época foram, em sua opinião, resultados imediatos da má gestão dos negócios e dos governos. Ele estava convencido de que a falta de um motor econômico viável na Europa foi o que alçou Hitler ao poder", afirmou Elizabeth.

"A ascensão do fascismo e do comunismo apenas confirmou a visão de Drucker de que é fundamental que existam empresas vibrantes em qualquer sociedade. 'Sem oportunidades econômicas', escreveu ele em 1933, 'as massas europeias perceberam, pela primeira vez, que a vida social era regida não pelo razoável e pelo sensato, mas por forças cegas, irracionais e demoníacas.' E afirmou que a falta de um motor econômico isola as pessoas e as torna destrutivas."

Os dois primeiros livros de Drucker – sem contar os dois panfletos censurados pelos nazistas – abordaram esses temas. *The End of Economic Man*, o primeiro, foi publicado em 1939. A edição inicial atraiu muita atenção, ainda mais por se tratar de um escritor recém-lançado. Nessa obra, ele previu o Holocausto com exatidão.

Churchill fez diversos elogios ao livro. Depois, já como primeiro-ministro, determinou que um exemplar fosse incluído no kit entregue a todos os formados pelas escolas de preparação de oficiais das forças armadas inglesas.

Embora o livro não tenha sido publicado até pouco antes do início da Segunda Guerra Mundial, em 1939, Drucker começara a escrevê-lo muito antes, apenas algumas semanas depois de Hitler assumir o poder em 1933. A maneira como o livro foi rejeitado pela comunidade acadêmica era um indício do que aconteceria durante toda a carreira de Drucker. O repúdio pelos meios universitários, nas décadas de 1960 e 1970, se explica por suas ideias não se encaixarem nas duas visões predominantes a respeito do nazismo: de que ele foi um "fenômeno estritamente alemão" ou "o último estertor do capitalismo moribundo".

Em vez disso, o livro "tratava o nazismo – e todas as formas de totalitarismo – como uma doença *europeia*, cenário em que a Alemanha nazista se destacava como a manifestação mais extrema e mais patológica – e, comparada a ela, o stalinismo não era muito melhor nem muito diferente". No entanto, essa interpretação não era "politicamente correta", observou Drucker, com ironia.

Em sua opinião, outra razão de o livro ter sido ignorado foi por ter "tratado de um importante fenômeno social como fenômeno *social*, o que, em geral, ainda é considerado heresia", escreveu ele em 1994.

The Future of Industrial Man (O futuro do homem industrial), de 1942, foi a segunda obra escrita por Drucker, lançada antes de dedicar vários anos ao estudo da GM e da publicação de seu primeiro livro de negócios, *Concept of Corporation*, em 1946. Nele,

Drucker argumentou que "os alicerces da sociedade industrial devem ser, ao mesmo tempo, uma comunidade que conceda status e uma instituição que ofereça função, e que, para tanto, precisa de seu próprio organismo especial. Eu ainda não chamava essa entidade de 'organização'".

Ele explicou que ninguém usava a palavra *organização* antes da Segunda Guerra Mundial e que talvez tenha sido o primeiro a usar o termo em *Concept of the Corporation.* Em *The Future of Industrial Man*, argumentou que a sociedade industrial emergente é distinta da que a precedeu, "diferente estruturalmente da sociedade do século XIX e do princípio do século XX, com outros desafios, novos valores e diversas oportunidades".

Nesses dois primeiros livros, podemos identificar o Drucker que inventaria a administração moderna como a conhecemos hoje. Ele encarou o nazismo e o totalitarismo como fenômenos "sociais". Em *The Future of Industrial Man*, anteviu o advento da sociedade industrial e o prenúncio das organizações como entidades muito diferentes das instituições do fim do século XIX e do início do XX. E o contraste ia além da estrutura ou da forma: elas também se caracterizariam por novos valores e oportunidades.

Logo que comecei a entrevistar Drucker, ele falou de como estabelecera a administração como instituição *social.* Ninguém antes encarara a empresa como uma instituição social. "Ela não exercia o impacto mais duradouro, mas o mais intenso", afirmou.

Ele me disse que, se seus primeiros dois livros não tivessem sido publicados, *Concept of the Corporation* nunca teria sido lançado. A mesma editora lançou esse terceiro livro só porque os dois primeiros haviam vendido muito bem. Se aquele livro não tivesse sido publicado, o Peter Drucker que conhecemos talvez houvesse escolhido outra carreira. E esse seria um desfecho que nem quero imaginar.

Fontes

Este livro não poderia ter sido escrito sem a cooperação de Peter F. Drucker. Além de me conceder extensa entrevista, ele ainda, generosamente, permitiu que eu fizesse citações de todos os seus livros e de qualquer outro escrito a respeito dele.

Desde *Concept of Corporation* até *Desafios gerenciais para o século XXI*, suas palavras e sua sabedoria ajudaram a constituir este livro, pelo que lhe sou eternamente grato. Muitas de suas citações foram extraídas diretamente da entrevista que ele me concedeu, em sua casa na Califórnia. Outras foram tiradas de cartas que trocamos antes e depois da entrevista. No entanto, a maior parte das citações de Drucker neste livro foi retirada dos próprios livros dele, listados a seguir.

Os livros mais úteis foram *A prática da administração de empresas*, sua obra formidável de 1954, anos à frente de seu tempo e talvez o melhor livro de gestão já escrito, além de *Administrando para obter resultados* e *O gerente eficaz*, dois de seus primeiros e melhores livros. *Desafios gerenciais para o século XXI*, um dos últimos escritos por Drucker, foi inestimável ao apresentar seus conceitos mais recentes a respeito de vários temas críticos. Já *Adventures of a Bystander*, única tentativa de Drucker de escrever suas memórias, serviu de fonte para que eu escrevesse o Epílogo deste livro.

Bibliografia

Beatty, Jack. *O mundo segundo Peter Drucker*. Rio de Janeiro: Futura, 1998.

Bezos, Jeff, Carta anual aos acionistas da Amazon.com, de 1997, 1998, 1999, 2000.

Bossidy, Larry, e Ram Charan. *Execução – A disciplina para atingir resultados*. Rio de Janeiro: Campus, 2004.

Buckingham, Marcus, e Donald Clifton. *Descubra seus pontos fortes*. Rio de Janeiro: Sextante, 2008.

Byrne, John. "The Man Who Invented Management". *BusinessWeek*, 28 de novembro de 2005.

Christensen, Clayton. *O dilema da inovação*. Rio de Janeiro: Makron Books, 2001.

Collins, Jim. *Empresas feitas para vencer*. Rio de Janeiro: Campus, 2001.

________. Do prefácio de *The Daily Drucker: 366 Days of Insight and Motivation for Getting the Right Things Done*. Nova York: Collins, 2003.

Colvin, Geoffrey. "Blue Cross Blue Shield". *Fortune*, 16 de outubro de 2006.

Drucker, Peter F. *The End of Economic Man*. Nova York: Heinemann, 1939. Transaction edition, 1994.

________. *The Future of Industrial Man*. Nova York: The John Day Company, 1942.

________. *Concept of the Corporation*. Nova York: The John Day Company, 1946.

________. *A prática da administração de empresas*. São Paulo: Thomson Pioneira, 1998.

________. *Administrando para obter resultados*. São Paulo: Thomson Pioneira, 2002.

________. *O gerente eficaz*. Rio de Janeiro: LTC, 1ª edição de 1967.

________. *Technology, Management and Society*. Nova York: HarperCollins, 1970.

________. *Management: Tasks, Responsibilities, Practices*. Nova York: Harper & Row. 1974.

________. *The Changing World of the Executive*. Nova York: Times Books, 1982.

________. *Inovação e espírito empreendedor*. São Paulo: Thomson Pioneira, 1998.

________. "The Coming of the New Organization". *Harvard Business Review*. Janeiro-fevereiro de 1988.

________. *Administração de organizações sem fins lucrativos: princípios e práticas*. São Paulo: Thomson Pioneira, 2002.

________. *A organização do futuro: como preparar hoje as empresas de amanhã*. Rio de Janeiro: Futura, 1997.

________. *Sociedade pós-capitalista*. São Paulo: Thomson Pioneira, 1999.

________. *Adventures of a Bystander*. Nova York: HarperCollins, 1998.

________. *A profissão de administrador*. São Paulo: Thomson Pioneira, 1998.

________. *Desafios gerenciais para o século XXI*. São Paulo: Thomson Pioneira, 1999.

________. *O melhor de Peter Drucker: Administração*. São Paulo: Nobel, 2001.

________. *A administração na próxima sociedade.* São Paulo: Nobel, 2003.

________. Carta a Jeffrey A. Krames, 14 de novembro de 2003.

________. "Clayton Christensen on Peter Drucker". Thought Leader's Forum, Peter F. Drucker Biography, The Peter F. Drucker Foundation for Nonprofit Organizations.

Drucker, Peter F., e Joseph A. Maciariello. *The Effective Executive in Action: A Journal for Getting the Right Things Done.* Nova York: Collins, 2005.

Edersheim, Elizabeth Haas. *A essência de Peter Drucker.* Rio de Janeiro: Campus, 2007.

Grove, Andrew S. *Só os paranoicos sobrevivem.* São Paulo: Futura, 1997.

________. "Andy Grove on Intel". *Upside*, 12 de outubro de 1997.

________. Palestra na Academy of Management, San Diego, Califórnia, 9 de agosto de 1998.

________. Entrevista com John Heilemann, *Wired*, junho de 2001.

Humby, Clive, Terry Hunt e Tim Phillips. *Scoring Points: How Tesco Continues to Win Customer Loyalty.* Londres: Kogan Page, 2007.

Karlgaard. Rich. Entrevista de Rich Karlgaard com Peter Drucker, "Peter Drucker on Leadership". Forbes.com, 19 de novembro de 2004.

Kennedy, Carol. *Guia dos gurus do gerenciamento.* Rio de Janeiro: Record, 2000.

Krames, Jeffrey A. *What the Best CEO Know.* Nova York: McGraw-Hill, 2003.

Lafley, A. G., do prefácio de *A essência de Peter Drucker*, de Elizabeth Haas Edersheim.

Magee, David. *O segredo da Toyota.* Rio de Janeiro: Campus, 2008.

Micklethwait, John, e Wooldridge, Adrian. *The Witch Doctors: Making Sense of Management Gurus*. Nova York: Times Books, 1997.

Montgomery, David. *Fall of the House of Labor*. Boston: Cambridge University Press, 1989.

O'Toole, James. *Leadership A to Z: A Guide for the Appropriately Ambitious*. Nova York: Jossey-Bass, 1999.

Rothschild, William E. *The Secret to GE's Success*. Nova York: McGraw-Hill, 2007.

Spector, Robert. *Amazon.com: Get Big Fast*. Nova York: HarperBusiness, 2000.

Tichy, Noel M., e Stratford Sherman. *Controle seu destino antes que alguém o faça*. São Paulo: Educator Editora, 1993.

Watson, Thomas J. *Pai, filho & Cia: Minha vida na IBM*. São Paulo: Best Seller, 1990.

Welch, Jack. *Jack definitivo: Segredos do executivo do século*. Rio de Janeiro: Campus, 2001.

Zenger, John H. HR.com Webcast, 1 de julho de 2005.

Zenger, John H., e Joseph Folkman. *The Extraordinary Leader: Turning Good Managers into Great Leaders*. Nova York: Mcgraw-Hill, 2002.

Nos tornamos estranhos
um para o outro.
É como tinha de ser.
Não queremos ocultar
nem obscurecer o fato
como se tivéssemos de ter vergonha
disso.

CONHEÇA OS 30 CLÁSSICOS DA EDITORA SEXTANTE

1.000 lugares para conhecer antes de morrer, de Patricia Schultz
1001 discos para ouvir antes de morrer, de Robert Dimery
1001 filmes para ver antes de morrer, de Steven Jay Schneider
A cabana, de William P. Young
A última grande lição e *As cinco pessoas que você encontra no céu*, de Mitch Albom
A vida é bela, de Dominique Glocheux
[illegible]
Enquanto o amor não vem, de Iyanla Vanzant
Faça o que tem de ser feito, de Bob Nelson
Jesus, o maior psicólogo que já existiu, de Mark W. Baker
Mantenha o seu cérebro vivo, de Laurence Katz e Manning Rubin
Muitas vidas, muitos mestres, de Brian Weiss
Não leve a vida tão a sério, de Hugh Prather
O Código Da Vinci e *Anjos e Demônios*, de Dan Brown
O monge e o executivo e *Como se tornar um líder servidor*, de James C. Hunter
O ócio criativo, de Domenico De Masi
O poder da paciência, de M. J. Ryan
O Poder do Agora, de Eckhart Tolle
O que toda mulher inteligente deve saber, de Steven Carter e Julia Sokol
Os segredos da mente milionária, de T. Harv Ecker
Palavras de sabedoria, de Sua Santidade, o Dalai-Lama
Por que os homens fazem sexo e as mulheres fazem amor?, de Allan e Barbara Pease
Transformando suor em ouro, de Bernardinho
Você é insubstituível, *Dez leis para ser feliz*, *Nunca desista de seus sonhos* e *Pais brilhantes, professores fascinantes*, de Augusto Cury

INFORMAÇÕES SOBRE OS PRÓXIMOS LANÇAMENTOS

Para receber informações sobre os lançamentos da EDITORA SEXTANTE, basta cadastrar-se diretamente no site www.sextante.com.br

Para saber mais sobre nossos títulos e autores, e enviar seus comentários sobre este livro, visite o nosso site www.sextante.com.br ou mande um e-mail para atendimento@esextante.com.br

EDITORA SEXTANTE
Rua Voluntários da Pátria, 45 / 1.404 – Botafogo
Rio de Janeiro – RJ – 22270-000 – Brasil
Telefone: (21) 2538-4100 – Fax: (21) 2286-9244
E-mail: atendimento@esextante.com.br

Somos dois navios, cada qual com sua meta e seu curso. Portanto nos tornamos estranhos um ao outro
Pq é a lei a qual estamos sujeitos